JN094013

News Diet

Stop Reading the News
A Manifesto for a Happier, Calmer and Wiser Life
by Rolf Dobelli

情報があふれる世界でよりよく生きる方法

ロルフ・ドベリ――【著】　安原実津――【訳】

サンマーク出版

献辞

私よりずっと前からニュースを断っている妻、ザビーネへ。

そしてまだ幼く、幸運にもニュースに触れていないわが家の双子、ヌマとアヴィへ。

日本語版に寄せて

いまこそ、「思考の道具」を身につけよ

紀元四一年。古代ローマの元老院は、哲学者であり実業家でもあったセネカに死刑判決を下した。そうなるように、皇帝クラウディウスの妃（きさき）、メッサリナが元老院を焚（た）きつけていたのだ。当時のローマで起きる出来事はほぼすべてがそうだったように、その一部始終は政治的な動機から行われたことだった。

しかしセネカにとっては幸運なことに、クラウディウスは気性が荒いことで有名だった妻よりも温和な人物だったため、死刑は追放刑に代えられた。船に乗り込んだセネカはコルシカ島で降ろされ、そこで八年間、たったひとりでつましい生活を送った。

そう聞いてあなたはいま、こんなことを考えてはいないだろうか。「コルシカに流されたのか。どうすれば自分もあの楽園のようなリゾートに追放してもらえるだろう？」。

だが二〇〇〇年前のコルシカ島は、住む人のほとんどいない、ローマ帝国で最も未開の

僻地（へきち）のひとつだった。険しい岩礁のある岩だらけの島にすぎず、当然のことながら、知的刺激など期待できない不毛の地だった。セネカにとっては過酷な運命と言わざるを得ない。

新型コロナウイルスのパンデミックが起きているいま、私たちの行動はさまざまに制限されている。こんなときこそ、「思考の道具」を身につけておいたほうがいい。

私たちよりもはるかにつらい状況にあったセネカが精神の健全さを保つことができたのは、「思考の道具」を習得していたおかげだ。セネカはストア派の哲学者だった。「アタラクシア」に到達することを目標とする、その実践的な哲学の信奉者だった。アタラクシアとは、「心の平静」「落ち着き」あるいは「内なる安定」といった言葉で言い換えられる心の状態のことだ——あるいは、「有害な感情」が存在しない状態、と言ったほうがわかりやすいだろうか。

ストア派の哲学者にとっての真の成功とは、**「内なる成功」**だ。身の回りで起きることを、仕方のないこととして可能な限り受け入れることだ。常にそうできているとは言えないにしても、私自身もストア哲学の実践者だ。

だから今回のような危機においては、おのずとこんな疑問が湧いてくる。新型コロナウイルス感染症とのつき合い方について、セネカなら私たちにどんな助言をするだろう？

セネカなら、どんな助言をするだろうか?

ひとつ目。大げさに愚痴をこぼすのはやめよう。そんなことをしてもなんにもならない。ストア派の見解によれば、世界はふたつの領域に分かれている。一方には、私たちが影響を及ぼすことのできるものがある。もう一方には、私たちの介入から逃れているものがある。「自分がコントロールできないもの」について心配をしても、なんの役にも立たないし、ほとんど馬鹿げているとさえ言っていい。それなのに、ものごとの大部分はそちらの領域に属している。私たちがニュースメディアで読む出来事は特にそうだ。

だから私たちは「自分にできること」だけをして、コントロールできない残りのものは無視しよう。私たちが影響を及ぼせる、小さな領域の内側で努力をするようにしよう。パンデミックのさなかでも生産的でいられるように。そして、自分の仕事をこれまでどおりきちんとこなすためにも。

ふたつ目。コロナウイルスに関するあなたの知識は、専門家よりも劣っているということを受け入れよう。あなたの脳は――あなたがもともと、ものごとをじっくりと考えるタイプである場合は特に――意見を噴き出す「火山」そのものだ。火山は眠らせておこう。

ストア派の哲学者たちは、コロナウイルスについてノンストップで話しつづけたりはしなかっただろう。それよりももっと有益で、すべきことが彼らにはあった。

伝説的な投資家であるウォーレン・バフェットの仕事机の上には、三つのレタートレーが置いてあるという。配達された郵便物用とこれから発送する郵便物用、そして「難しすぎる案件」用だ。バフェットの「能力の輪」の外にあるものは、すべてこの「難しすぎる案件」用トレーに振り分けられる。つまり、バフェットがこれといった知識を持たないもの、適正な時間内にじっくりと考え抜くことができないものがそれに当たる。

あなたは疫学者だろうか、ウイルス学者だろうか、経済学者だろうか、医師だろうか、それとも大統領だろうか？　もしあなたがこれらのどれでもないのなら、コロナに関するあなたの意見は、あなたの「難しすぎる案件」用バケツに投げ入れることをおすすめしたい。新型コロナウイルス感染症やそれが経済にもたらす結果を理解することが本業のそうした人たちでさえ、不確実さの海のなかを泳いでいるのだ。

意見というのは、鼻のようなものだ。誰でもひとつは持っている。恍惚（こうこつ）としながら最新情報を追いつづけ、あたかも未来を嗅ぎとれるかのようなふりをする——そんなもったいぶったことはしなくていい。あなたの「本日の意見」が真実の的を射る確率は、非常に低い。

三つ目。ジャーナリストといえども、新型コロナウイルス感染症に関する高度な知識を持っているわけではない。これまでのところメディアは、専門家の言葉を引用するか、意見を戦わせるプラットフォームを提供するかのどちらかしかしていない。本当に新しい「見識」を、ニュースメディアは生み出せていないのだ。

コロナ元年だった二〇二〇年を振り返ってみよう。テレビに映る語り手の顔を眺めたり、ソーシャルメディアで論争をしたりして、あなたは何百時間もコロナのニュースのために費やしたのではないだろうか。その結果、どんな効果がもたらされただろう？　メディア企業やオンラインプラットフォームは潤い、あなたの時間は乏しくなった。

だが仮に、あなたがコロナのニュースをすべてシャットアウトして、政府に指示されたルールにしたがうことしかしていなかったとしても、あなた個人や社会全体におけるウイルスとの闘いの進捗状況は、いまと変わっていなかったはずだ。それでもあなたがこのウイルスについてもっと知りたいというのなら、ユーチューブには研究者たちによる一流の講演動画がいくつもあったし、いまでもある。ウイルスのことを知るのに、ニュースメディアは必要ないのだ。

新型コロナは、メディアが豊富な知識を持っているわけではないということを明確にしてくれた。念のためにつけ加えておくと、このことが当てはまるのは新型コロナに関してだけではない。何に対してもそうだ。

四つ目。新型コロナウイルス感染症を、あなたの人生の適切な場所に位置づけよう。社会としてだけでなく個人としても、私たちのほとんどは、パーティーができないことや、サッカーの無観客試合や、オンライン授業や、マスクのせいでメガネが曇ってしまうことよりももっと困難な事態を経験しているはずだ（そして今後も、いまよりもっと困難な事態を経験することはあるだろう）。

私のオフィスでは、過去一〇〇年のあいだに起きた戦争や惨事の写真が、お払い箱になったiPadのスライドショーでループ再生されている。

強制収容所に入れられていたころのソ連の作家、ソルジェニーツィン。戦死者で溢れる、第一次世界大戦時の泥だらけの塹壕（ざんごう）。有刺鉄線のうしろにいるやつれ果てたアウシュヴィッツの収容者たち。報道写真家のニック・ウットが逃げまどう子どもたちを撮影した、ベトナム戦争を象徴する写真。

それらにほんのちょっと目をやるだけで、私はじゅうぶん確信できる。今回のパンデミックは、これらの出来事にくらべればちょっとした散歩のようなものだ、と。

「死」というパンデミックとともに生きている

五つ目。そもそも私たちは、すでに数百万年も前からパンデミックとともに生きている。

「死」という名のパンデミックだ。たとえ新型コロナのせいで命を落とすはめになったとしても、おそらくあなたは過去何千世代にもわたるあなたの祖先の誰よりも、長くよい人生を送ることができたはずだ。

自分たちは常に死を抱えているということを、私たちはつい忘れてしまう。しかし死は私たちの人生の一部だ。ストア派の哲学者たちは、そのことを日々意識するよう心がけていた。

私のオフィスにあるｉＰａｄの隣には、統計にもとづく寿命、つまり私の死亡日までの日数と時間と分と秒を、赤く光る大きな数字でカウントダウン表示するデジタル時計が置いてある。もしかしたら私の残りの人生は、新型コロナのせいで、表示されている「八九〇四日」より少なくなるかもしれない。だが、そうなったらそうなったでしようがない。

何年か前に私は決めたのだ。「誰が一番長生きするか?」という競争には参加すまい、と。そんなことを競ってもなんの意味もない。心のなかで最悪のケースに備えていれば、不安は減って、心の平静は深まり、より明晰(めいせき)な思考ができるようになるものだ。

最後の六つ目。考えられる限り最も厳格で長期のロックダウンのさなかでも、私たちは「自由」だ。一番肝心なもののなかにおいては、奴隷でさえ自由だ——すなわち、自分の思考のなかでは。この自由を奪うことは誰にもできない。そう言ったのはストア派の偉大な哲学者であるエピクテトスだが、その言葉は彼自身の経験に裏打ちされたものだった――エピクテトスは、奴隷だったのだ。

自分の思考のなかでは自由でいられるため、あなたは自分の状況をいつでも新しく解釈し直すことができる。あなたの人生の質は、あなたの思考の質によって決まるところが大きい。

荒涼とした島に八年間追放されているあいだに、セネカはローマに向けて二通の手紙を出した。そのうちの一通で、セネカは母親のヘルウィアに、彼が経験している〝ロックダウン〟についてこんなふうに書いている。

「このことは伝えておきたいのですが、私は楽しく元気にやっています。まるで何もかも最高にうまくいっているみたいに。実際、何もかもが最高の状態なのです。私の頭は、事業の重圧から解き放たれているのですから……」

確かにセネカは、八年にも及んだ〝隔離措置〟のあいだ、職業上の成功を追求することはできなかった。しかしそのぶん、じっくりと思索にふけることはできた。賢明な頭脳の持ち主だったセネカは、それを恩恵と見なしたのだ。

日本の読者のみなさんへ

この本は、新型コロナウイルス感染症が世界的に流行する前に多くの言語で刊行された。そのため、**「ニュースは断ったほうがいい」**という自説に変化があったかどうかを、私は頻繁に尋ねられる。だがその質問の答えは、ノーだ。ニュースメディアは私たちになんらかの付加価値を提供することも、まとまった知識や深みのある分析をもたらすこともできないということを、コロナは示してくれたのだから。

読者の方から感謝を述べられることが最も多かったのは、**「能力の輪」**についての章だ。新聞を広げたり、ニュースウェブサイトに飛びついたり、あるいはどこかのニュースフィードを購読したりする前に、あなたはまず自分個人の「能力の輪」を明確にしなくてはならない。「能力の輪」が明確になれば、あなたに関連のあるものとないものとの区別ができる。その輪の内側に入るものはあなたにとって関連があるが、それ以外はすべてあっさりと無視してしまってかまわない。「能力の輪」の外側にあるニュース記事を消費したところで、あなたが得るものは何もない。時間が無駄になるだけだ。

私の著書が日本で大変好意的に迎えられていることを、私はありがたく思っている。書いたものを、本来の市場以外でも読んでいただけるというのは栄誉なことだ。しかし同時に、私は驚いてもいる。なぜなら私がこれまでの著書で紹介した「思考の道具」の大部分は、西洋哲学の宝箱に——とりわけストア哲学に——由来しているからだ。

このことは、私たち人間の脳の構造は、どの文化圏の出身であっても基本的には同一であるという証(あかし)にほかならない。地球上の二〇〇の国に分散していても、人間が人間であることに変わりはないのだ。私たちは皆、同じようなものにあこがれを抱き、同じような欠点を共有している。日本で役に立つ「思考の道具」は西洋でも役に立つだろうし、その逆もまたしかりだろう。よいことを教えてもらった。これからも、相互にもっとたくさんのことを学び合えることを願っている。

二〇二〇年一二月

ロルフ・ドベリ

プロローグ　ピンの落ちる音が聞こえそうなほどの静けさ

二〇一三年四月一二日。私はその日、イギリスの新聞『ガーディアン』の編集部に招かれていた。

当時刊行されたばかりだった私の著書『Die Kunst des klaren Denkens』（邦題『Think right　誤った先入観を捨て、よりよい選択をするための思考法』）の英訳版を紹介するためだ。毎週ひとりの著者が自分の新刊についてちょっとしたプレゼンテーションをしてもよいことになっていて、その週には私にその栄誉が与えられていたのだ。

編集長のアラン・ラスブリッジャーが部員たちを呼び集めた。室内はだんだんといっぱいになった。およそ五〇人のジャーナリストたちが、朝のコーヒーを手に小声で立ち話をしながら、イギリスではまったく無名のこの人物が誰なのか、ラスブリッジャーが説明してくれるのを待っていた。

私の傍らには妻がいた。なんとか緊張を鎮めようと、私は彼女の手を握りしめた。

なにしろここには、世界の一流紙で働く人たちのなかでも選りすぐりの頭脳の持ち主が集まっている。そのうえ私にとっては、認知科学の世界から得た知識を彼らにいくつか披露できるまたとない機会でもある。うまくいけば、彼らのうちの誰かが私の本について書いてくれるかもしれない。

ラスブリッジャー編集長は咳払いをひとつしてことのはじまりを告げると、そっけない口調でこう言った。

「いましがたあなたのウェブサイトを見ていたら、あなたがずいぶんおもしろい記事を書いているのを見つけましたよ。その記事について話してもらえませんか。新刊についてではなく」

私はそんな準備はしていなかった。説得力が出るようにと練り上げ、覚え込んだ、自著を紹介するための文言がのどまで出かかっていた。それをそのまま掲載してもらえたら理想的だと思っていた。私は言葉を飲み込んだ。

ラスブリッジャーが私のウェブサイトで見つけた記事というのは、あるものを消費することで起きる主要な問題点をリストアップしたものだった。

そのあるものというのは、まさにその場にいた世界じゅうから一目置かれるプロたちが日々生み出しているもの——**ニュース**である。

やむを得ず私は、勢いよく話しはじめた。メディア業界一の人気商品であるニュースを断ったほうがいい理由を、次々に並べ立てた。

少し前まで私に好意的だった周りの五〇人のジャーナリストたちは、いまや敵に変わっていた。私はできるだけ冷静さを保つよう心がけ、彼らの視線の集中砲火に耐えた。

二〇分後、自分の意見を語り終えた私は、最後をこんな言葉で締めくくった。

「率直に言えば、みなさんがここで生み出しているのは、人々のための娯楽作品にすぎないのです」

場は静まり返った。ピンの落ちる音すら聞こえそうなくらいに。

ラスブリッジャーは目をすぼめ、あたりを見回しながらこう言った。「ドベリさんのご意見を掲載しよう。それも今日じゅうにね」

体の向きを変え、私にはなんの言葉もかけずに、ラスブリッジャーは部屋を出て行った。そのあとにジャーナリストたちがつづいた。誰ひとり、私のほうを見なかった。誰ひとり、私とひと言の言葉もかわそうとしなかった。

四時間後、私が書いた記事の短縮版が『ガーディアン』のウェブサイトに掲載されると、あっという間に読者から四五〇件ものコメントが寄せられた。技術的に表示可能なコメントの最大数である。

「ニュース・イズ・バッド・フォー・ユー（ニュースは害になる）」と題されたその記事は、皮肉にも、その年最も読まれた新聞記事のひとつになった。

あなたがいま手にしているこの本は、まさにこのときの〝ずいぶんおもしろい〟記事がベースになっている。

だが本書には、その記事よりもはるかに多くのことを記してある。ニュースの消費が害になる理由についても、ニュースが及ぼす悪影響を示す学術研究についても、そしてそれらを理解したあとにニュースに対する欲求をコントロールし、克服するためのヒントについても。

デジタル化により、いまやニュースは無害な娯楽媒体から人間の健全な理解力を損なう大量破壊兵器に変化している。そのような危険なものは、避けるに越したことはない。

ニュースを断つにあたっては、強調しておきたい点がひとつある――ニュースの消費を抑えることは、何かを断ち切るつらい行為ではけっしてない。その逆だ。そうすることで、あなたはさまざまなものを手に入れられる。時間の余裕ができるし、ものごとの本質をつかみ、いまよりも幸せになるための新しい視点を得ることもできる。

本はつづけて二回読んだほうがいい。そうすれば中身をひとつも忘れずにすむ。そこで本書には、二度目の読書がしやすくなるような配慮をしておいた。再読するときには、**「重要なポイント」**だけを読むといい。

どうぞ、楽しい読書を！

ロルフ・ドベリ

News Diet

日本語版に寄せて

3 ニュースは、砂糖が体に及ぼす影響と同じような影響を精神に及ぼす

4 徹底的にニュースを断つ

5 「三〇日計画」を立てよう

※本文中の〔　〕内は、訳注を示す。

1 私がニュースを断つまで　その①

私の〝ニュース・ルーチン〟とはどんなものだったか

「はじめまして、ロルフといいます。私はニュース中毒です」

アルコール依存症の人たちのためにあるような自助グループが、もしニュース中毒者向けにあったなら、私はグループの輪に加わってそんなふうに言い、周りの人々の理解を請うていたかもしれない。

一〇年以上前までの私は、そんな感じだった。

はじまりに、特に変わったところは何もなかった。私が生まれたのは申し分のない中流家庭で、同じように一九七〇年代に子ども時代を過ごした人なら覚えがあるような、お定まりのニュース・ルーチンとともに育った。

平日は、毎朝六時半になると、新聞配達員が郵便受けに新聞を差し込む音がする。そうすると母が玄関ドアをほんの少し開け、器用に手を動かして、外に一歩も出ることなしに郵便受けから新聞をつまみ出す。そしてキッチンに向かって歩きながら新聞をふたつに分け、片方を父の前に置き（どちらを父に渡すかを決めるのは母だった）、もう片方は手もとに残す。家族全員が朝食をとっているあいだに両親は新聞にざっと目を通し、それから互いの新聞を交換して今度はそれに目を通す。

七時ちょうどになると、全員がスイスラジオＤＲＳのニュースに耳を傾ける。それが終わると父は仕事に、私たち子どもは学校に行く。

一二時には家族全員が昼食のテーブルを囲む［スイスの公立小学校には給食制度がなく、昔は父親も自宅に戻って昼食をとるのが一般的だった］。昼食後、一二時半には静かにしていなくてはならない。ラジオのニュースを聞く時間だからだ。夜の六時半にも同じことをする。そして七時半になると、夜の一大イベントがはじまる。スイス放送協会のテレビニュースである。

ニュースは朝食のときに飲む麦芽飲料と同じくらい、生活の当たり前の一部だった。それでも私は、当時すでにどこか腑に落ちないものを感じていた。新聞が毎日同じ厚さで同じ紙面構成であることが驚きだったのだ。

両親が購読していた地方紙（『ルツェルナー・ノイエステ・ナッハリヒテン』）は、いつも国際面が一ページ、経済面が一ページ、ルツェルン市内の地域ニュースが二ページ、といった構成だった。前日に起きた出来事が多いか少ないかは関係ないようだった。

当時スイス市場には新聞の日曜版はまだなかったが、土曜と日曜の二日分のニュースを掲載しているはずの月曜の新聞でさえ、厚さは同じ（三六ページ）だった。私にはそのことがどこか奇妙に思えた。

だがそれは新聞に限ったことではなかった。夜のニュース番組の長さも、いつもまったく同じなのだ。

私は不思議でたまらなかった。ということはつまり、出来事が少なかった日には重視されてニュースになるものが、いろいろな出来事が起きた別の日には軽い扱いを受けざるを得ないということではないか。

けれども私は「まあ、仕方のないことなのかもしれないな」と思い、それ以上深く考えようとはしなかった。

海外の新聞と雑誌まで読む「貪欲な読者」だった

時が経つにつれ、私は新聞の貪欲な読者になった。この広い世界で起きているいろいろなニュースを知りたいという欲求は、一七歳のころに一度目のピークを迎えた。

手に入る新聞は、最初から最後まですべて目を通した。読みとばしたのはスポーツ面だけだ。友人たちは森やサッカーフィールドで、あるいは模型飛行機や女の子たちと放課後や休日を過ごしていたが、私は土曜日には必ず、ルツェルンにある図書館の閲覧室に一日じゅうこもっていた。

新聞は、ページがずれてばらばらになるのを防ぐためと、フックにかけておけるようにするために、木製の新聞ばさみで挟んであった。当時の新聞はほとんどが大判でかなりかさばったうえに、新聞ばさみもとても長く重みがあったので、閲覧室に腰を落ち着けて少し経つと、すぐに手首が痛くなった。

そのため私は大きな閲覧テーブルに場所をとり、祭壇におかれた聖書のページをめくる司祭のように新聞のページをめくっていた。ずっと離れたところにある紙面の上端の記事を読むときだけ、立ち上がってテーブルの上に身をかがめた。

私は、いつも決まった時間に自分と同じようなやり方で新聞を読んでいる、スーツとネクタイ姿の——きわめて保守的なルツェルンでは、当時まだそれが週末にふさわしい服装だと思われていたのだ——年配の男性たち（女性はほとんど見かけなかった）を観察した。べっ甲ぶちの眼鏡をかけた彼らは、私にはとても聡明に見えた。私もいつかこんなふうに知的で博識そうな印象を与えられる大人になりたいと思った。

そのうえ新聞を読んでいるあいだは、自分は情報に精通し、日常の些細（ささい）なことには煩わされない、飛行高度に匹敵するほどの高い知識を誇るインテリなのだという気分に浸ることもできた。互いに握手をかわす大統領、自然災害、クーデターのもくろみ。これが大きな世界というものなのだ。こうした世界にこそ価値があるのだ――私は世界との一体感を味わった。

大学在学中は多くの本を読まなくてはならなかったため、ニュース熱は後退した。だが大学を卒業して最初の職についたとたん、ニュース熱はすぐに戻ってきた。

スイス航空のファイナンシャル・コントローラーとして働いていた私は、毎日のように飛行機に乗っていた。

客室乗務員が新聞の束を手に客席をまわると、私はすぐに飛びついて全紙もらい受けた。フライト中に〝やり残した仕事〟はアタッシュケース（そう、いまでは安っぽい推理小説のドルの札束を運ぶ場面でしかお目にかからないような、左右に数字錠のついた四角いあの鞄だ）に詰め込んだ。ホテルの部屋で、世界のニュースを読み終えられるように。

手持ちの読みものに外国の新聞と雑誌が加わると、私はきわめて幸福な気分になった。自分には、世界のありとあらゆる面を日々くまなく見通す力があるかのように思われた。私はよろこびに酔いしれた。

2

私がニュースを断つまで　その②

ニュースがアルコールと同じくらい「危険」な理由

しかし、私を魅了したのは、新聞や雑誌やテレビのニュースだけではなかった。

一九九〇年代に入るとインターネットが登場し、知らなければならない出来事は急増した。いや、増えただけではない。地球の全大陸のニュースが、包括的に、即座に、無料ですべて手に入るようになったのだ。

三角形がいくつも飛び回るような単調な動きのかわりに最新ニュースを表示した、最初のスクリーンセーバーのことを私はいまだに覚えている。「ポイントキャスト」という名前で、私はこのすばらしいスクリーンセーバーの前に何時間でもすわっていられた。マンハッタンのタイムズスクエアで流れているようなノンストップのニュースが、自分のパソコン画面で見られるのだ！

時期を同じくして有力新聞や雑誌も独自のウェブサイトづくりをはじめ、地方紙もそれにつづいた。

ニュースを完全に読みつくすということはもはやありえなかった。実質不可能なのだ。トップ記事にまだ目を通していない新聞は常にどこかにあった。そしてそうこうしているうちに、そのほかの新聞も、またトップ記事を更新してしまう。

第二世代、第三世代のインターネットブラウザでは、プッシュ技術を使ったニュースの配信を受けたり、ＲＳＳフィードでサイトの更新情報を受け取ったりすることが可能になった。私はすべて購読した。

新聞各社は毎日ニュースレターを配信した。私はそれらも購読した。ニュース・ポッドキャストも登場した。もちろん、それだって聞き逃すわけにはいかなかった。

私は常に最新情報に満たされているのを感じて、その状況に感激し、夢中になり、うっとりと酔いしれた。まるでアルコールを飲んでいるみたいに。ただしアルコールは頭をぼんやりさせるが、ニュースは知識をつけてくれる——私はそう思い込んでいた。

だが実際には、**ニュースはアルコールと同じくらい危険なのだ。**

いやむしろ、危険度はアルコールよりも高いかもしれない。なぜなら越えなければならないハードルは、アルコールに依存している人のほうがずっと高いからだ。

もっと正確に言えば、アルコールの場合、越えなければならないハードルの高さはゼロを上回るが、ニュースの場合はゼロを下回っている。

アルコールは買わなくては手に入らないし、そのためには時間とお金を費やさなくてはならない。アルコールがただであなたの家に届けられることはない。

もしあなたが実際にアルコール依存症で、そして生活をともにしているパートナーが（まだ）いるなら、あなたは酒瓶も隠さなくてはならないし、空になった瓶はできるだけ早く処分してしまわなくてはならない。つまり、「手間がかかる」ということだ。

しかしニュースの場合、そうした手間は必要ない。ニュースはいたるところにあるし、その大半は無料で、考えずともあなたの意識のなかにするりと入り込む。ニュースをしまい込む必要はないし、処分しなければならないものも何もない。

この〝マイナスのハードル〟のせいでニュースは非常にたちが悪い。私はずいぶん経ってからようやくそのことに気がついた。

私が「ニュース」と完全に決別した瞬間

ニュースの消費に一万時間も費やしたあとで、私ははじめて自分自身にこんなふたつの質問を投げかけた。**「ニュースのおかげで、私は世界をもっとよく理解できるようになっただろうか？　よい決断ができるようになっただろうか？」**。答えはどちらもノーだった。

それにもかかわらず、私は強烈でどぎついニュースの雷雨に魅了されたままだった。ニュースが私をいら立たせることは明らかだったというのに。たくさんの短いニュースが身の周りの現実と自分とを隔ててしまうように思えることが頻繁にあり、そうなると、長い文章を一度に読むのが突然苦痛に感じられてくるのだ。まるで、注意力を誰かに細かく切りきざまれてしまったかのようだった。

私はパニックになった。私の注意力は二度と回復しないのではないだろうか。切りきざまれた小片がもとのひとつになることは、二度とないのではないだろうか。

私はだんだんと〝ニュース劇場〟から距離を置くようになった。ニュースレターやRSSフィードの登録を解除し、決まったウェブサイト（スイスの『ノイエ・チュルヒャー・ツァイトゥング』紙、ドイツの『デア・シュピーゲル』誌、イギリスの『フィナンシャル・タイムズ』紙、アメリカの『ニューヨーク・タイムズ』紙と『ウォール・ストリート・ジャーナル』紙）しか見ないようにした。

だがそれでもまだ多すぎた。

私はもっと数を減らした——閲覧する発信元を五つから四つへ。三つへ。ふたつへ——そしてニュースサイトを訪問するのは一日三回までと決めた。

だがそれでも効果はなかった。私はまるで猿のようにニュースリンクから別のニュースリンクへと飛び移り、すぐにまた果てしないニュースジャングルのなかで我を忘れた。
何か荒療治が必要だった。それもいますぐに。
私はニュースと決別することにした。完全に。きっぱりと。即座に。
そしてついに効果が現れた！

「ニュースなしの生活」を送ることで得られるもの

ニュース中毒から解放されるには、「時間」と、「新しい試みをいとわない精神」と、「意志の力」が必要だった。
とりわけ私は、次の問いの答えを探しつづけた。「ニュースとはなんだろう？」「ニュースの何が人をこれほど引きつけるのだろう？」「ニュースを消費しているとき、脳のなかでは何が起きているのだろう？」「これほど多くの情報を得ているというのに、なぜ私たちはこれほどものを知らないのだろう？」

ニュースを完全に断つことが非常につらく感じられたのは、私の友人の多くがジャーナリストをしているためでもあった。彼らは私の交友関係のなかでも、最も知的で、おもしろく、教養がある部類に属する人たちだ。おまけに彼らは主に道義的な理由から職業を選んでいる――いまよりも公平な世界をつくるために。そして権力者を監視するために。しかし腹立たしいことに、彼らはいまでは真のジャーナリズムとほぼなんの関係もないジャンルの仕事に捕らえられている。ニュースを巧みに伝えることに、もはや意味などなくなってしまった。

いま、私は〝クリーン〟だ。二〇一〇年からはまったくニュースなしの生活を送っているため、ニュースから解放されることで得られる効果を見出し、感じ、そして自らの経験をもとにそれらを語ることもできる。

人生の質が向上し、思考は明晰になり、貴重な洞察が得られるようになり、いらいらすることが減って、決断の質が上がり、時間の余裕もできた。

二〇一〇年以降、日刊紙は購読していないし、テレビのニュースも見ていないし、ラジオのニュースも聞かず、ネットニュースに浸ってもいない。

自己実験としてはじめたことは、いまや人生哲学のひとつになった。

ニュースなしの生活は、自信を持っておすすめできる。あなたはいまよりよい決断ができるようになる。いまよりよい人生が送れるようになる。それに、信じられないかもしれないが、大事な情報を逃すこともない。

③ ニュースは、砂糖が体に及ぼす影響と同じような影響を精神に及ぼす

ニュースが生まれたのは、たった「三五〇年前」

ニュースとは、一体なんなのだろう？　最もシンプルな定義は「短くまとめられた世界各地からの情報」だろう。

オーストラリアのバス事故。グアテマラの地震。大統領Aが大統領Bと会談。女優CがDと破局。イタリアの内閣改造。北朝鮮がロケットを発射。あらゆる記録を塗りかえたアプリ。テキサスに住む男性が生きたままの芋虫五キロを完食。世界的コンツェルンがCEOを解雇。政治家のツイート。新国連事務総長が就任。自分の祖母を刺殺した男。ノーベル賞候補者一覧。平和協定。サメに両足を食いちぎられたダイバー。中国が新しい航空母艦を建造。贈収賄スキャンダル。欧州中央銀行が景気後退を予測。G7、G8、G20のサミット。アルゼンチンの経済破綻。投獄された企業家。内閣が総辞職。クーデター。海難事故。ダウ・ジョーンズの終値。

こうした情報を、メディアは大げさに「ニュース速報」あるいは「世界のトップヘッドライン」と呼んだりもする。

だが呼び方を変えたところで、これらの大部分はあなた個人の世界になんの関係もないという事実に変わりはない。大々的に報じられているニュースほど、あなたにとっての重要度は低いと思っていい。

「ニュース」は「本」と比較すると、発明されてから日が浅い。この形ができてから、まだ三五〇年にしかならない。

最初の日刊紙が市場に出たのは一六五〇年――ドイツのライプツィヒで創刊された『アインコーメンデ・ツァイトゥング』紙である。その数十年後には、ヨーロッパにはすでに何百もの日刊紙があった。ニュースがビジネスとして確立したのだ。

編集者はそれ以降、読者の興味をかき立て、新聞の売り上げにつながるものはすべて、「伝える価値のあるもの」と見なすようになった――それが重要かどうかとは関係なく。

新しいものを重要なものと称して売るという、この根本的な欺瞞(ぎまん)に関しては、今日(こんにち)まで何ひとつ変わっていない。紙の新聞においても、ネットニュースやソーシャルメディアのニュースでも、ラジオやテレビのニュースにおいても、支配的なビジネスモデルとなっている。

その一方で、最初の新聞が発行されて以降エスカレートしているのは、新しい情報を重要なものとほめそやす厚かましさや勢い、やかましさだ。

ここ二〇年のあいだにインターネットやスマートフォンが定着したことによって、ニュースへの依存度は危険で病的なレベルにまで達している。

ニュースからはもうほとんど逃れようがない。私たちはいますぐにでも、氾濫するニュースに対する私たちの態度を考え直さなくてはならない。いますぐにでもニュースの消費が及ぼす影響を見きわめ、デトックス治療をはじめなくてはならない。

ニュースの「対極」に位置するものとは何か？

「ニュース」の対極に位置するのは、長い形式のもの――**新聞や雑誌の長文記事、エッセー、特集記事、ルポルタージュ、ドキュメンタリー番組、本**などだ。それらの多くが伝える内容は有益で、新しい知識やものごとの背景情報をもたらしてくれる。

それでも、用心を忘れてはならない。これらの形式を通して得られる情報が、常に重要だとは限らない。それらが主として広告収益で運営されている媒体で発表されている場合は、情報の重要性よりも新しさに重きが置かれている危険性がある。

私は、「価値ある長文記事かどうか」を見わけるのに毎回頭を悩まさずにすむように、新聞（紙・電子版ともに）とラジオとテレビを通して伝えられるものは、完全に断つことにしている。

それにどのみち、それらの媒体から発せられる長い形式の質のよい情報は、中身のないニュースの紙吹雪に取り囲まれている。つまり、それらはニュースに汚染されている場合が多いのだ。

私は汚染された水源から出たものを飲み下したくはない。だが先に認めたとおり、これは荒療治だ。次章からは、どうすればあなたも有毒なニュースから自由になる道を歩むことができるかをご紹介していきたいと思う。

日々のニュースという濃厚飼料［たんぱく質・炭水化物・脂肪を多く含む高カロリーな家畜用の飼料］が、まったく無価値なだけでなく有害だというのは、疑いのない事実だ。

過去数十年のあいだに私たちは、間違った食生活にともなうさまざまなリスクを突き止めてきた。インスリン抵抗性、肥満、炎症に対する抵抗力の低下、疲れやすさ。このどれもが寿命を縮める原因になる。

私たちは食生活を見直し、食欲をそそる砂糖やその他の単炭水化物［じゃがいもや白米などの、体内ですぐに分解されて体重増加の原因になりやすい炭水化物］の誘惑に耐えることを学んできた。

現在の私たちとニュースの関係は、二〇年前の私たちと砂糖やファストフードの関係と同じである。

ニュースは砂糖が体に及ぼす影響と同じような影響を精神に及ぼす。食欲をそそり、消化もしやすいが、きわめて有害でもある。メディアは通俗的な逸話という一口サイズのごちそうや、一見おいしそうな食べものをたっぷりと私たちに与えてくれるが、それらを食べても私たちの知識欲は一向に満たされない。

本やきちんとした調査にもとづく記事と違い、ニュースを消費しても満腹感は得られない。ニュースを際限なくむさぼることはできるが、それらは安っぽい砂糖のかたまりにすぎないのだ。その害が現れるのも、砂糖やアルコールやファストフードや喫煙と同じように、かなり時間が経ってからだ。

精神に健康的な栄養を摂取するのも、体のために健康的な栄養をとるのと同じくらい重要なことだ。本書は「日々のニュースを食べ放題」の現状を変えることを目標にしている。


本書を最後まで読み通せたあなたは、自分はツイていると思った方がいい。あなたはまだ、濃厚飼料をとりすぎて集中力をなくしたニュース中毒者ではないということだ。最後までがんばり抜こう。禁断療法は常に苦しいものだ。だが、苦しさに耐えるだけの価値はある。

4 徹底的にニュースを断つ

あなたが「いますぐに」すべきこと

私はあなたの目を覚まさせることができただろうか？　もしそうなら、あなたはこの本の残りを読む必要はない。

あなたがいますぐにすべきことは、次のとおりだ。

ニュースをあなたの生活から排除しよう。ニュースから自由になるのだ。それも、完全に。

できるだけニュースポータルにアクセスしづらい状態をつくろう。ニュースレターの配信はすべて解除しよう。スマートフォンとｉＰａｄのニュースアプリをいますぐに消去しよう。

お気に入りやブックマークに登録してあるニュースサイトは削除しよう。ブラウザのホームページにニュースポータルを設定するのはやめよう。ブラウザのホームページには、けっして変化しないサイトを選ぶといい。地味なサイトであればあるほどいい。私はウィキペディアに設定してある。

テレビも売ろう（これも急いだほうがいい。そのうちテレビを買う人は誰もいなくなるだろうから）。

旅行するときには、良質な本をじゅうぶん持って行くようにしよう。紙の本でも電子書籍でもかまわない。

そして電車や飛行機に乗っているときにどこかに新聞を見つけたとしても、そのままにしておこう。目を通しても得られるものは何もない。一面の記事からも意識的に目をそむけよう。目を向けるならもっと有意義なものにしたほうがいい。新聞や雑誌は、とにかくいまある場所に放置しておくことだ。それがあなたを誘うように、すぐ目の前に置いてあったとしても。

空港のターミナルにはよく、巨大なラックに多数の無料雑誌が並べてある。そうしたラックの前はさっさと通り過ぎよう。それらの大半は中身のない広告のかたまりだ。ゲート近くでフライトを待つときには、ターミナルにニュースを注ぎ込むテレビ画面から離れた場所に席をとろう。

ＣＮＮやＣＮＢＣ、ＦＯＸ、ブルームバーグの画面から語りかけてくる声はあなたの脳に最も不要なものだ。それよりも、仕事をしたり読書をしたり、活気のある空港内をゆっくりと眺めながら空想にふけったりして時間を過ごそう。

多くの航空会社は、乗客が新聞や雑誌（なぜ本やオーディオブックではないのか理由はわからないが）を自分のｉＰａｄに無料でダウンロードできるサービスを提供している。だが、気をつけたほうがいい。それらの媒体の目的は、広告枠を高く売り込むために読者のアクセス統計を解析することだ。そして当然のことながら、客室乗務員が新聞の束を手に近くを通りかかっても、受け取りは拒否しよう。

ホテルの部屋に入ると、もしかしたらあなたは自分の名前を表示した騒々しいテレビ画面の出迎えを受けるかもしれない。ザッピングの誘惑にかられる前に、テレビのスイッチは切っておこう。一番いいのはプラグを抜くことだ。そうすれば何にも煩わされずにすむ。テーブルには――本来ならばそこでノートパソコンを広げて落ち着いて仕事をしたいところだが――雑誌が積み重ねられているせいで、あなたが使えるスペースはおそらくないに違いない。それらの雑誌もまた広告のかたまりだ。戸棚のなかにしまい込んでしまおう。

残念ながらこの手順は、毎日、繰り返さなくてはならない。決まりに忠実な客室清掃員が戸棚から雑誌を出して、もともと限られた仕事のスペースを毎回覆い隠してしまうからだ。ホテルの雑誌はベッドの下にでも放り込んでおくといい。そうすればすぐに見つけられることはない。

そしてもちろん、新聞を朝ドアの前に用意しておいてもらうのもやめておこう。旅行に関するアドバイスはこんなところだ。

二〇ページ読んで見識が広がらない本はやめていい

もしあなたが「世界の重要な出来事をひとつも見逃さない」という錯覚をどうしても捨てられないなら、イギリスの週刊新聞『エコノミスト』に見開きで掲載されている「The world this week〔今週の世界〕」というまとめ記事にざっと目を通すといい。時間はちょうど五分しかかからない。私はそうしている。だがそのまとめ記事すら読まないことも多い。

何より大事なのは、世界の複雑さを伝えられるだけの能力や情報源を持ち、事実をしり込みせずに伝えている雑誌や本を読むことだ。

私の場合、アメリカの『ザ・ニューヨーカー』誌、『MITテクノロジーレビュー』誌、『フォーリン・アフェアーズ』誌、そして『エコノミスト』紙の特集記事を読んでいる。主に専門家の寄稿論文をまとめた新聞や雑誌も大いに役に立つ。クラウトレポーター（ドイツ）、ディー・レプブリーク（スイス）、デ・コレスポンデント（オランダ・アメリカ）、シビル・コー（アメリカ）など、長文記事を掲載する新しい形のメディアもたくさんある。

世界はとにかく複雑だ。**週に一冊は本を読もう。**

もし二〇ページ読んでも世界に対するあなたの見識が広がったり変化したりしない本は、読むのをやめてもかまわない。反対に二ページごとに新たな認識をもたらしてくれる本を見つけたときは、最後まで読み通そう。

そして**別の本をはさむことなく、つづけてもう一度読み返す**。二度読んだときに得られる効果は、一度しか読まないときの倍どころではない。私の経験から言えば、効果はほぼ一〇倍にはね上がる。「二度読み」の効果の高さは、もちろん長文記事にも当てはまる。ときには、学校用のテキストである「教科書」を読むのもいい。精神には最高の滋養になる。

教科書は大学で勉強するのと同じくらい密度が濃く、栄養価も高い。世界を理解するにはそのための基盤が必要だが、教科書はその構築に非常に適している。味気なく聞こえるかもしれないが、事実だ。基盤としてすでに理解している何かと関連づけられなければ、私たちはものごとを理解することができない。

グーグルで検索するのは問題ない！　インターネットは最高の知識の源だ。

残念ながら検索の結果、ときにはニュースサイトにたどり着くこともある。だが、そうなったからといって悲劇ではない。あなたの注意を引こうと躍起になっているそのほかのニュースの渦に巻き込まれないよう気をつければいいだけだ。

何を探すかを決めるのは、あなたでなくてはならない。進む道を定めるのは、あなたでなくてはならない。ニュースメディアにあなたの注意を操らせてはならない。一〇年前から私は徹底してニュースを断っている。人生の質と決断の質には目覚ましい効果が現れている。あなたも試してみてほしい。

失うものは何もない。得ることばかりだ。

5

「三〇日計画」を立てよう

ニュースダイエットの最大の分岐点は「三〇日後」

一番つらいのは、ニュースを断った最初の週だ。ニュースにアクセスしないためには自制が必要だ。

最初のうちは、いまこの瞬間にも世界で何かよくないことが起きていそうな気がして、そわそわと落ち着かないまま過ごすことになる。

次に起こる大災害への準備ができていないように思え、もどかしさやいら立ちも覚えるだろう。自分は不利な立場にあって、自分以外は誰もが有利な立場にいるようにも思えるだろうし、自分はのけ者にされているか、あるいは社会的に孤立しているとさえ感じるかもしれない。一時間ごとに、お気に入りのニュースポータルをチェックして回りたい誘惑にもかられるだろう。

だがその誘惑に負けてはならない。「徹底的にニュースを断つ」というあなたの計画を、最後まで守り抜こう。三〇日間、ニュースなしの生活を送ってみるのだ。こんなふうに自分に言い聞かせながら。

「三〇日過ぎたらまたもとの生活に戻ったっていい。でもそれまではがんばり通そう」

どうして「三〇日」なのだろう？　なぜなら、落ち着きや精神的な安らぎを最初に感じられるのが「三〇日後」だからだ。

あなたは前よりもずっと時間の余裕ができていることに気づくだろうし、集中力が上がっていることにも、世界をもっとよく理解できていることにも気づくだろう。

「三〇日後」が大きな分岐点になる。三〇日経つと、ニュースがなくても大事な情報を逃してはいないし、今後も逃すことはないだろうというのがわかってくる。**本当に大事な情報は、適切なタイミングで耳に入るものなのだ**――専門紙を通して、あるいは友人や義理の母や、あなたが言葉をかわしたほかの誰かを通して。

友人に会ったら、世界で何か重要な出来事があったかどうか訊いてみるといい。この質問は会話のとっかかりとしては打ってつけだ。たいていの場合は「何も起きちゃいないよ」という答えが返ってくるはずだ。

三〇日経ったら、ニュースに汚染されたもとの生活に戻りたいかどうかを決めるといい。

一旦もとの生活に戻って、またもう一度〝ニュースダイエット〟に取りかかろうとする場合は、振り出しに戻って、また最初のつらい三〇日を耐え抜かなくてはならない。

「余分に手に入れた時間」を有効に使うヒント

私が個人的にニュースダイエットをすすめた人たちの大半は、いま現在までずっとダイエットをつづけている。新しい生活で得られる充実感が、ニュースを断つことで起きる不利益を一〇〇倍は上回っているからだ。

本書を読む前からニュースダイエットをはじめていて、すでに最初の三〇日は過ぎているというあなたには、祝辞を贈ろう。

あなたは以前よりも一日あたり九〇分、余分に時間を手に入れたことになる。一週間分あわせると、一日の労働時間に相当する。控えめに見積もっても、あなたには一年につき一か月以上もの余分な時間ができることになる。以前は十一か月だったあなたの一年が、ようやくまた十二か月に戻るのだ。

そうしてできた時間は、何に使えばいいだろう?

本を読んでもいいし、新聞や雑誌に掲載されている非常に長い記事を読むのもいい。その記事が専門家によって書かれたものならもっといい。

良質なオンラインコースを受講するという選択肢もある。無料の（有料でもかまわないが）コースをいくつか修めるといい――iTunes大学、カーンアカデミー、ユダシティ、アカデミック・アースなど、世界でもトップレベルのコースがたくさんある。そうすれば、世界の基礎をなすメカニズムを理解することができる。

広く学ぶのではなく、深く学ぼう。重要度が高く、加えてあなたの**「能力の輪」**にかかわりのあるテーマに取り組むといい。

「能力の輪」が何かについては、本書の第九章で詳しく考察する。いまのところは、次のことだけ頭に入れておけばいい――「能力の輪」というのは、あなたが並はずれた能力を発揮できる（あるいは努力をおしまず、並はずれたレベルにまでスキルを磨き上げられる）得意分野を指す。要するに、あなたの専門分野のことである（拙著『Think clearly』一六章、『Think Smart』三六章でも言及している）。

じっくりと思考することに時間を使ってもいい。ビル・ゲイツはマイクロソフト社を創設して以来ずっと、年に二回、まる一週間の思考時間をとっているという。その時間は**「考える週」**と呼ばれていて、ひと束のメモ用紙と本をいっぱいに詰め込んだスーツケースひとつを持って、人けのない島にこもるのだそうだ。あなたもまねをしてみよう。

あなたにはいま、そのために二週間の時間をとる余裕が――それどころかもっと多くの時間的な余裕が――あるはずだ。ニュースを断てば、年に四週間という時間が贈りもののように手に入るのだから。ちなみに、行き先はプライベートアイランドでなくてもかまわない。人里離れた山小屋でも、同じように思考にふけることはできる。

仲間やライバルたちに大きく差をつけられるようにもなる（周りの人もニュース断ちをはじめていたら話は別だが）。

なぜなら世界でニュースが報じられると、その内容は人々の「基本認識」の一部になるからだ。だが、周りよりも優位に立つには、（a）正しく、（b）まだ人々の基本認識として成立していない「ものごとのつながり」を見きわめなくてはならない。手に入れた時間を使って集中して思考をめぐらせれば、あなたはニュースを消費している仲間たちには見えていない「ものごとのつながり」をさぐり当てることができる。

ニュース断ちの第一段階である「最初の三〇日」は、ニュースを消費しないよう、文字どおり自分に無理を強いなくてはならない。ニュースを求める衝動はまだあって、それを意志の力で抑えている状態だ。

その時期が過ぎると、衝動は消えていく。意志の力を動員する必要もほとんど感じなくなってくる。ニュースを知りたいという欲求自体がなくなるからだ。この状態になったら、第二段階到達だ。

第三段階になると、ニュースに嫌悪さえ感じるようになる。そのあたりにある新聞やキオスクに貼られている見出し、あるいは公の場にあるスクリーンから迫ってこようとするニュースから、自然に顔をそむけるようになる。

第三段階に到達したあなたには、もう一度お祝いの言葉を贈ろう！　あなたはいまでは〝ニュース・クリーン〟で、自分の人生を取り戻したのだ。

6

おだやかなニュースダイエットのすすめ

日刊紙よりも週刊誌、電子ではなく紙を読む

私の方法が極端すぎるという人には、「おだやかな方法」をおすすめしたい。日刊紙（紙・電子版とも）、ラジオ、テレビ、ソーシャルメディアから流れてくるニュースは完全に断って、**週刊新聞一紙だけ（あるいは週刊誌一誌だけ）を読む**のだ。二紙や三紙でなく、一紙というのがポイントだ。

電子版ではなく、紙の新聞を読もう。理由は簡単だ。紙の新聞にはハイパーリンクがない。

ハイパーリンクが厄介な理由はふたつある。ひとつ目は、リンクをクリックするかどうかをその都度決めなくてはならないということ。決断をするために、時間と注意力といくらかの意志力を費すことになる。ふたつ目は、リンクをクリックすると、もとの記事から離れた広大なインターネットのなかでたちまち我を忘れてしまい、一片の漂流物のように

あちらこちらへ流されてしまうからだ。

選んだ週刊新聞や週刊誌はひと息に読もう。何回にも分けて読んだり、ましてや何日にもわたって読んだりしてはならない。一番いいのは、**「六〇分で新聞や雑誌を読み通す」といった制限時間を設ける**ことだ。タイマーをセットしておくといい。そうすれば有害なニュースがあなたの脳と精神に及ぼす影響を最小限に抑えられる。

新聞はどれを選べばいいだろう？　煽情(せんじょう)的な書き方をせず、広告収益に極力頼らない運営をしているものを選ぶといい。ただしすでに記したとおり、選んでいいのは一紙だけだ。

すべて目を通すのではなく、限られた記事だけを読む

次の段階では、**毎号決まった数の記事だけを読むようにしよう。**

私の友人の何人かは『エコノミスト』以外は読んでいないが、そのなかでも読む部分は社説（〝Leaders〟のページに掲載されている記事五本）だけに絞り込んでいる。『デア・シュピーゲル』の特集記事だけに目を通して、残りは一切読まない友人たちもいる。

スイスの週刊誌『ヴェルトヴォッへ』やドイツの週刊新聞『ディー・ツァイト』の編集長の社説だけ、もしくは『フィナンシャル・タイムズ』土曜版の論説だけに、読むものを

限定している友人たちもいる。体裁が毎週ほとんど変わらず、いつも決まったページに読む箇所を見つけられる媒体を選ぶのが理想的だ。

限られた数の記事しか読んでいないと、何か大事な情報を逃すのではないかと不安になるだろうか？

安心してほしい。たとえば毎週『デア・シュピーゲル』の特集記事を読むとすると、あなたは年に五二本の記事をピックアップすることになる。それだけあれば、その年に起きた最も重要な出来事はすべてカバーできるはずだ。

何か月か「おだやかな方法」をつづけたら、あなたにも「徹底的な方法」に切り替える用意ができているかもしれない。その時期にさしかかったら、こんなことをしてみよう。

あなたが唯一購読している週刊新聞、あるいは週刊誌の最新号が郵便受けに届けられたら、読まずに引き出しのなかにしまい込み、**かわりに少なくとも一か月以上前の号を読んでみるのだ。**

あなたの友人たちのあいだで大いに話題になっているテーマ（シリア内戦、貿易戦争、イギリスのＥＵ離脱など）は、少し前の号でもすでに取り上げられているはずだ。読むのが少し前のものなら、ニュースの渦のなかに引き戻されるリスクも少ない。

この自己実験をすれば、**最新のニュースを入手しなくても大事な情報を逃すわけではな**

いという確信が持てるようになるだろう。あなたは前よりも自信を持って、落ち着いてニュースを避けられるようになる。

だが用心を忘れてはならない。〝おだやかな〟ニュースダイエットは、徹底的な方法よりもずっと危険が大きい。ニュースの風に逆らいながら航行をつづけなくてはならないからだ。歌で航行中の人を惑わすという海の怪物、セイレーンのようなニュースメディアの歌声は、ずっと大きく、甘く、魅力的に響くようになる。それをはねのける自信のない人は、はじめから徹底的な方法をとって、完全にニュースを断つといい（私としては、そちらのほうをおすすめしたい）。

「もとの状態」に逆戻りしてしまったら？

もし、もとの状態に逆戻りしてしまった場合は、どうすればいいだろう？

実は私にも経験がある。トランプが出馬した、二〇一六年のアメリカ大統領選挙のときだ。気がつくと私は、選挙戦の熱狂ぶりを伝えるニュースの渦に巻き込まれていた。

そのころの私は、『ニューヨーク・タイムズ』と『ノイエ・チュルヒャー・ツァイトゥング』のウェブサイトを毎日チェックしていた。ニュースに感情をかき乱されるだけで、どうがんばっても私には何の影響も及ぼせないのだと気づかされるまで。

まもなく私は、次章からあとに記すすべてのネガティブな作用を感じるようになった——いら立ち、思考の誤り、時間の無駄づかい。そこに自分の決意に反する行動をとってしまった自責の念が加わり、私は余計にうろたえた。私がまたニュースの蛇口を締めたのは、ちょうど四週間後だった。

こんなふうに、もとの状態に逆戻りしてしまった場合はどうすればいいのだろう？　そんなときは、**アルコール依存症が再発したときと同じようにすればいい。**一切のニュースを断って、またはじめからやり直すのだ。徹底的な方法をとった場合も、おだやかなニュースダイエットの場合も、もちろんこの点は共通している。

それでは、この本を閉じていますぐにニュースを断とう——そうすればあなたは近いうちに自分自身の体と脳で、ニュースを断つことがどれほどよい効果をもたらすかを体感できる。

けれども、もしあなたが決意を固めるための後押しが必要な場合は——あるいは、ニュースを断つことの利点を誰かに納得させたい場合は——この先を読むといい。たくさんの砲弾が装塡された大砲さながらに、次章以降にはニュースを消費することで生じるさまざまな問題点があなたを待っている。読書のための時間はあるはずだ。ニュースを読まないいま、あなたの気を逸らすものは何もないのだから。

7 ニュースはあなたとは「無関係」である　その①

私たちは一年間で「二万本」のニュースを読んでいる

あなたがこの一年でむさぼり読んだニュースは、**およそ二万本**にのぼるだろう。控えめに見積もっても、**一日あたり約六〇本**は読んだことになる。

正直に答えてほしい。**そのなかに、あなたが自分の人生や家族や、キャリアや健康やビジネスに関して、よりよい決断を下すのに役立ったニュースはあっただろうか。**そのニュースを読んでいなかったら、下せていなかったと思える決断はあるだろうか。

私がこの質問をした人のうち、二本以上のニュースを挙げられた人は誰もいなかった。年に二万本ものニュースを読んでいるというのに、である。なんという関連性の薄さだろう！

私の場合、ニュースを消費しなかったこの一〇年より前に記憶を巻き戻しても、本当に役に立ったニュースは、たったの一本しか思い出せない。空港に着いたあとで知った、アイスランドの火山が噴火したために私のフライトがキャンセルになったというニュースだ。だがこのニュースですら、私が航空会社に正確な携帯番号を伝えていて、ショートメッセージがちゃんと届いていたら、なくても特に問題はなかったのだ（メッセージが携帯に届いていたら空港まで無駄足も踏まずにすんだ）。

あなたの人生における重要なこととニュースには、なんの関連もない。ニュースは楽しめる場合もあるが、基本的にはなんの役にも立たない。だがそれを認めることへの心理的な抵抗の大きさから、この事実を受け入れられない人は多い。

それでも、考えてみてほしい。予想に反して、あなたが自分の人生を上向きにしてくれるようなニュースに実際に出会ったとしても、そのニュースを知らなければあなたの人生はもっと悪くなっていただろうと思えるような報道があったとしても、そのたったひとつのトリュフを見つけるために、あなたの脳はどれほど多くのがらくたを取り込まなければならないだろう？

そう聞くとあなたは、こんなふうに反論するかもしれない。「そこまではっきりとものごとを白黒で分ける必要はないだろう。あいだをとったっていいじゃないか。価値のあるニュースだけを選んで、それ以外のものを排除すればいい」。

聞こえはいいが、そのやり方は通用しない。ニュースの価値を前もって判断することは不可能だからだ。価値があるかどうかを判断するには、ニュースを読まなくてはならない。つまりそれまでと同じように、ニュースビュッフェに並んでいるものをすべて試食しなくてはならなくなるのだ。

「報じられていない出来事」のほうが、重要度は高い

重要なニュースかどうかの選別を、プロにまかせることはできないだろうか？　重要な出来事を見つけ出してフィルターにかけることに、ジャーナリストたちはどのくらい長けているのだろう？

最初のインターネットブラウザが市場に登場したのは、一九九三年一一月一一日のことだった——おそらく原爆に次いで最も影響の大きい二〇世紀の発明品だ。

そのブラウザの名前をご存じだろうか？　「モザイク」である。聞いたことがなくても仕方がない。この出来事がニュースで取り上げられることはなかったからだ。

そのかわり、そのころのドイツのテレビニュースでは、政党助成制度改革についてや、イスラエルのラビン首相がアメリカのクリントン大統領を訪問したことや、ローマ教皇が肩関節を折ったことなどが報じられていた。つまりニュースジャーナリストもニュースの

消費者も、重要な出来事を見出す感覚器官は持ちあわせていないのだ。

それどころか、ニュースの重要度とメディアの関心の高さは反比例しているといってもいい。ニュースでさかんに報じられる出来事ほど、重要度は低い。

年月が経つにつれて、私はこう確信するようになった。**報じられていない出来事のほうが、重要度は高い場合が多いのだ！**

何を重要と見なすかは人によって大きく異なる。国に決められることではないし、ローマ教皇やあなたの上司やセラピストに決められることでもない。

あなたにとっての重要事項を、メディアから見た重要事項と混同してはならない。メディアにとっては、読者の注意を引くものはすべて重要なのだ。ニュース産業におけるビジネスモデルの核をなすのは、この欺瞞である。メディアは、私たちとは無関係なニュースを重要なことと称して私たちに提供しているのだ。

「重要なことVS新しいこと」――それこそが、現代に生きる私たちの戦いの本質なのである。

あなたの「個人的なテレビニュース」を編成しよう

もし私が、私個人のテレビニュースを編成しなければならないとしたら、どんな番組になるだろう？　扱うのは次のような内容になるはずだ。

家族の状況報告。子どもたちは何をしただろう？　子どもたちの心配ごとはなんだろう？　妻の心配ごとはなんだろう？

それから、その日に起きたことのなかで、もっとうまい対応がとれたはずの出来事について振り返る、一日の反省。血液検査も含めた家族の健康チェック。叔母の病状報告。友人たちの心身の状況。住んでいる地区で計画されている交通渋滞緩和措置に関する最新情報。ごみ処理計画。キッチンの改修プロジェクト。休暇の計画。ある研究者とのEメールのやり取り。

次の小説の構想。新しいビジネスアイディア。大いに楽しんだ昼食時の会話の回想。近隣の地区や学校や住んでいる自治体に関するルポルタージュ、つまり身の周りや地域のニュース。法改正の見込み、あるいはすでに発効した改正法について。作家としての仕事に必要なすべてのこと。

私の「個人的なテレビニュース」は、ほかの人々に歓迎されるだろうか？　もちろん歓迎されるわけがない。

私にとっての重要事項は、ほかの人々にとっての重要事項とまったくなんの関係もない。ましてや世界規模の〝ニュースメニュー〟など、個人個人にとっての重要事項と関係があるはずがない。ほとんどの人は、いわゆる「ワールドニュース」は重要だと頭から決めてかかっている。しかし、それは誤りなのだ。

報道機関は、自分たちは競争に有利になる情報をあなたに提供しているのだと言葉巧みに信じさせようとする。多くの人はそれにだまされる。

しかし実際には、ニュースを消費すると競争に有利になるどころか、かえって不利になる。ニュースを消費することが本当に出世につながるなら、所得ピラミッドのトップはニュースジャーナリストたちで占められているはずだ。だが現実はそうではない。その逆だ。何が成功をもたらすのか、私たちに正確なことはわからない。だが成功を妨げるものなら確実にわかる。

ニュースという一口サイズのごちそうをたらふく食べる行為は、間違いなく成功の邪魔をする要因のひとつだ。

▼重要なポイント

ニュースジャーナリストもニュースの消費者も、重要な出来事を見出す感覚器官は持ちあわせていない。ニュースメディアが〝重要なこと〟と称して売っているものを消費するより、あなたの「個人的なテレビニュース」を編成しよう。

8 ニュースはあなたとは「無関係」である　その②（思考実験）

もし、「地球の面積」が四倍になったらどうなる？

「地球の直径」がいまの長さになったのは単なる偶然だ。**仮に、地球の直径がいまの倍あったらと想像してみよう**——表面積は現在の地球の四倍になる。人口密度は変わらないとすると、地球にはいまの四倍の人が住むことになる。街や風景は、私たちが知るそれらとほぼ見わけがつかないだろう。読者のみなさんの生活も、いまとまったく変わらないように感じられるはずだ（重力の変化についてはとりあえず考えないことにする）。

しかし、確実に変化するものもある。ニュースだ。大きな地球における〝重要なニュース〟の数は、現在の（小さな）地球におけるニュースの数の約四倍になるだろう。

つまり、英雄も、サイコパスも、スキャンダルも、橋の崩落も、音楽の天才も、殺人も、多数の車を巻き込む衝突事故も、有名人も、離婚も、火山の噴火も、津波も、ツイートも、サメの襲撃も、テロリストからの脅迫も、コンピュータウイルスも、ダムの決壊も、環境問題も、銀行への襲撃も、武力紛争も、プレスリリースも、発明も、会社の創設も、破産も、少なくともいまの四倍に増えるということだ。

しかしその一方で、**比例して増えることのないニュースもある。**「勝者独り勝ち」のルールが当てはまる分野に関するニュースだ。

専門分野別にノーベル賞が授与されるのはもちろん年に一回だけで、四回にはならない。世界で最も裕福な人物もひとりだけで、四人にはならない。砲丸投げでオリンピックの金メダルをとれるのもひとりだけで、四人にはならない。車のブランドやソーシャルネットワークや検索エンジンの数はいまの二倍になるかもしれないが、四倍に増えることはないだろう。

けれども、それ以外の分野に関するニュースは、とてつもなく増えるはずだ。人口が四倍に増えれば、大胆な軍事作戦が行われたり、くだらない対立が起きたり、思いがけない企業合併が実現したり、予想外の判決が下されたりする頻度は、おそらくいまの一〇倍になるに違いない。直行便のフライト数や金融システムの不安定さも何倍にも増えるだろうが、ことを簡単にするために、ここではすべて「四倍」で統一することにする（なんといってもこれは思考実験なのだから）。

いま消費しているニュースの大半は重要だともしあなたが主張するなら、当然の帰結として、大きな地球ではいまの四倍の〝重要な〟ニュースを消費しなくてはならない。一日九〇分ではなく、一日六時間もニュースのために時間を割かなくてはならなくなる。

しかしもちろん、あなたはニュースにそこまで時間をかけたりはしないだろう。日常的にこなさなければならないことと両立できる程度に、ニュースを消費する時間を制限するはずだ。結局ニュースに使う時間は、平均すると一日九〇分のままだろう。あなたには仕事もあれば、家族も友人たちもペットもいるし、趣味だっていろいろとあるだろうから。

つまりあなたには、**〝重要でどうしても知る必要がある〟はずのニュースの消費量を、あっさりといまの四分の一に減らす用意がある**というわけだ。消費するニュースが減ったからといって、何も問題は起きないのである。

そうなると、次にどんな質問がくるかはもうおわかりだろう。思考実験のなかでニュースを断てるなら、実際の生活でもニュースを断てるのではないだろうか?

それなしでは生きられないほど重要なニュースなど、存在しないのだ。

本当に重要なことは「良質な本」からもたらされる

ニュースの何割が重要で何割が重要でないかを示す、一般的な境界はない。

たったいまの思考実験で明らかになったように、なんの問題もなくニュースの消費量をいまよりも七五パーセント減らせるのなら、異なる条件のもとで九九パーセント減らすことにも耐えられるはずだ。

そこから次の段階としてニュースを一〇〇パーセント断つことも、そう難しくはないだろう。

それでも〝何か重要なこと〟を逃すかもしれないという不安は消えないだろうか？

私の経験から言わせてもらえば、ニュースを遮断した繭（まゆ）のなかで暮らしていても、本当に重要なことが起きたときには耳に入ってくるものだ。

あなたの家の地下で排水管が破裂したら、近くに住むおせっかい好きの人があなたに知らせてくれるだろう。新聞で報道されてから知るのでは、いずれにしても遅すぎる。

テロリストが世界のどこかでバスを爆破した場合も、情報はあなたのもとに伝わってくる。家族や友人や同僚たちが、その〝一大事〟について、どこの報道機関よりも信頼できる報告をしてくれるだろう。

それどころかメタ情報［本体のデータに関連する付帯情報］という付加価値までついてくる。ニュースの報告者が友人である場合、あなたは彼らにとっての優先事項や彼らの世界観を知っているため、伝え聞いた情報の評価がしやすくなるのだ。

しかしもしこのバスを狙ったテロ行為があなたの耳に入らなかったとしても、問題は何もない。その逆だ。むしろよろこんだほうがいい。ほかのいろいろな惑星でも憂慮すべきことは起きているのかもしれないが、それを知らないままでも、私たちは特に不都合を感じていないではないか。

本当に重要なことは、良質な本を通して知る場合がほとんどだ。実用書は、労力をかけて構想を練り調査した、非常に長い記事にほかならない。もちろん、本は何かが起きた日にリアルタイムで出版されるわけではないが、そんなことはどうでもいい。ほとんどの場合、あなたがその出来事をいつ知るかは、まったく重要ではないからだ。

▼重要なポイント

それなしでは生きられないほど重要なニュースなど存在しない。数えきれないほどのニュースよりも、たった一冊の良書のほうが何千倍もあなたの人生と健康のためになる。

9 ニュースは「能力の輪」の外にある

自分の「能力の輪」の境界を見きわめよう

「重要」なものとは、具体的にどんなものを指すのだろう？　定義はふたつある。

厳密な狭義の意味でいう重要なものとは、「よい決断を下すのに役立つもの」だ。広義には、「世界で起きている出来事のつながりを理解するのに役立つもの」はすべて重要と見なされる。

「重要」という言葉に対して、私はこの先これら両方の定義を使うつもりでいるが、あなたはどちらを選んでもかまわない。ひとつ目の定義に照らし合わせても、ふたつ目の定義に照らし合わせても、ニュースが重要でないことに変わりはないからだ。

どちらの定義を使っても、〝ニュース・クリーン〟になるだけの価値はある。


伝説的な投資家、ウォーレン・バフェットは、**「能力の輪」**というすばらしい概念を使用している。人は、能力の輪の内側にあるものには習熟できるが、輪の外側にあるものは、理解できないか、ほんの一部しか理解できない。

バフェットはこんな人生訓を持っている。「自分の能力の輪を知り、そのなかにとどまること。輪の大きさはそれほど大事ではない。大事なのは輪の境界がどこにあるかをきちんと把握することだ」。

ＩＢＭの初代社長トム・ワトソンは、この主張の正しさを裏づける生きた証拠だ。ワトソンは、自身についてこう述べている。「私は天才ではない。私にはところどころ人より優れた点があって、そういう点の周りからずっと離れないようにしているだけだ」。

あなたも、自分の「能力の輪」を意識しながらキャリアを築くようにしよう。自分の「能力の輪」に常に一貫してピントを合わせていれば、そこからもたらされるのは金銭的な成果だけではない。時間も大幅に節約できる。「能力の輪」の境界がわかっていれば、注意を向けるべきものと向けるべきでないものを、その都度見きわめなくてすむからだ。

同じことは、メディアが発する情報の選別にも大いに当てはまる。自分の「能力の輪」を知れば、価値のある情報源と価値のない情報源を切り離す道具やメスが手に入るのだ。具体的に言えば、**あなたの「能力の輪」の内側にある情報はどれも価値のあるものばかりだが、「能力の輪」の外側にある情報はすべて無視したほうがいい。**「能力の輪」の外にある情報を消費するのは時間の無駄になるばかりか、あなたの集中力を低下させる原因にもなる。

「広い知識」よりも「深い知識」を身につける

「能力の輪」は、なぜそれほど大事なのだろう？

今日(こんにち)、あなたが職業的な成功をおさめられるのは——ほんの少数の例外はあるが——、特定の専門分野をきわめたときだけだ。その分野におけるあなたの知識が深ければ深いほど、能力が高ければ高いほど、あなたの成功の度合いも大きくなる。

その分野の世界的な第一人者にならなければ、勝者の仲間入りはできない。拙著『Think clearly　最新の学術研究から導いた、よりよい人生を送るための思考法』で記した「独り勝ち」現象［グローバリゼーションの影響で隔離されていた市場がひとつになり、少数の勝者のもとだけに市場の利益のほぼすべてが集まる現象］の影響である。

つまりあなたの選択肢は、**「専門バカ」になるか「敗者」になるかの二択しかない**ということだ。

「専門バカ」と言うと聞こえは悪いかもしれないが、この言葉は「名人」と言い換えることもできる。そう聞くと、この言葉の印象もずいぶん変わってくるのではないだろうか?

ベートーベンは、専門バカだった。だが、なんとすばらしい専門バカだったことだろう。交響曲の作曲にかけては、世界中でベートーベンの右に出る者はいなかった。「能力の輪」の外側では、ベートーベンにこれといって特別なところは何もなかった。

ピカソも、専門バカだった。人類初の宇宙飛行を成功させたユーリイ・ガガーリンもそうだ。

おそらく史上最も偉大な科学者であるアイザック・ニュートンも同様だ。自分の「能力の輪」の外にあることに関しては能力がなかったようで、ニュートンは株式市場への投機に失敗して大損をしている。

「必ずチェックすべきもの」と「無視していいもの」

「能力の輪」の境界が明確なら、脳に取り入れるべき情報と、ごみ箱行きの情報を簡単に識別できる。

あなたが心臓外科医だったら、関連分野の学術ジャーナルはすべてあなたの興味の範疇だろうし、ひょっとしたらリーダーシップ雑誌やリーダーシップに関する本もそうかもしれない(あなたがチームのトップを務めている場合)。

しかしそれ以外のものは、あっさり無視してかまわない。どこかの国の大統領が別の国の大統領と握手をかわしたかどうかなど知る必要はない。列車同士が世界のどこかで正面衝突したかどうかも知る必要はない。あなたの脳は、どのみちもういっぱいだ。

脳を覆うがらくたの数が多くなると、そのぶんあなたが本当に知らなければならない情報のための場所が少なくなる。

あなたが建築家だった場合も、やはり専門誌や専門書は読むだろう。改正された建築法規や今後の法改正の見込みについても、当然知っておかなくてはならない。そうした情報の入手方法は国や地域によって異なるだろうが、それらが一般的なニュースサイトに掲載されていないことだけは確かだ。

ひょっとしたら、建築様式のトレンドを把握するための雑誌や本も必要かもしれない。ただし、専門誌はかなり値が張ることもある。重要なものを手に入れるにはお金がかかるのだ。だが中国が火星に無人探査機を打ち上げたかどうかなど、知る必要はない。時間の無駄だ。

どんな職業の分野においても、「能力の輪」の内側に属する専門メディアには必ず目を通すべきだが、「能力の輪」の外側にあるものは無視するのが一番だ。

グーグル検索はどうだろう？　あなたの「能力の輪」にかかわりのある情報を探す場合

は、検索は必須だ。インターネットには貴重な情報がたくさん詰まっている。ただしネットサーフィンの最中に、おもしろそうだが無関係な情報のほうへうっかり脱線してしまわないように気をつけよう。

あなたの手にはいま、重要なものをそうでないものから切り離せるメスがある。常に「能力の輪」を意識しながら生活すると、メディアで読んだり、見たり、聞いたりすることの九九パーセントはあなたには無関係だということに気づくだろう。不要なものは、切り捨ててしまおう。

▼重要なポイント

自分の「能力の輪」を見きわめよう。広い知識より、深い知識を身につけたほうがいい。「能力の輪」のなかにあるものにはすべて目を通し、「能力の輪」の外にあるものはすべて排除しよう。

10

ニュースは「リスク」を誤って評価する

脳は〝どぎついニュース〟に過度に反応する

私たちの「中枢神経系」は、目に見えて、人間同士の話で、スキャンダラスで、センセーショナルで、衝撃的で、カラフルで、派手で、騒々しく、変化が激しく、意見を二分するような刺激に過度に反応する。

その一方、抽象的で、曖昧で、複雑で、多重構造になっていて、展開がゆっくりしていて、自分なりに解釈を加えなくてはならない情報にはあまり反応しない。ニュースの生産者は、この知覚のゆがみを意図的に利用している。

規模の大小にかかわらず、ニュースメディアはどの媒体も、私たちの脳を過度に反応させるような記事の作成方法に全幅の信頼を置いている。感動的な話や、どぎつい写真や、衝撃的なビデオや驚くような〝事実〟で私たちの注意を引きつけようとする。そうしなければビジネスモデルが成り立たないからだ。

〝ニュースサーカス〟の資金源である広告枠は、注目を集めなければ、つまり、どぎついニュースに取り囲まれていなければ売ることができない。

そのため、表現がこまやかなもの、複雑なもの、抽象的なもの、展開がゆっくりとしたもの、難解なものや意味深長なものには、メディアは——そして私たち自身も——関心を示さない。私たちの生活に関連のある情報や世界を理解するために必要な情報は、むしろそちらのほうに多いというのに。

こんな出来事を例にとって考えてみよう。**車が橋を渡っている。橋が崩落する。メディアの関心はどこに向けられるだろう？**

車の状態。車に乗っていたのは誰か。その人がどこから来たか。どこに向かっていたか。事故の体験談（命を落とさなかった場合）。その人はどんな人物か（あるいは事故で命を落とす前はどんな人だったか）。

もちろん、その人の身に起きたことは悲劇的だが、だがそれは私たちにとって——その人のことを知らない私たちのような者にとって——重要な出来事だろうか？　重要でもなんでもない。**本当に重要なのは……橋のほうだ！**

橋の構造上の安定性。同じ建設手法で、同じ素材を使った橋がほかにもあるかどうか、そしてもしあるならどこにあるのか。それこそが本当に重要なポイントだ。それがわかれば、もっと多くの死傷者が出るのを防ぐことができる。

だが車や運転者のことを知っても、事故の予防にはつながらない。どんな車でも橋の崩落を引き起こすきっかけにはなり得ただろうし、ひょっとしたら強風が吹いたり、犬が一匹うろつき回ったりしただけでも橋は崩れ落ちたかもしれない。それなのに、なぜメディアはぐちゃぐちゃになった車について報じるのだろう?

なぜなら、見た目がとてもむごたらしいからだ。運転者について報じれば、その人に関することで記事が書けるからだ。それにそうすれば、ニュースの生産コストもかけずにすむからだ。

墜落事故が起きたら、飛行機に乗るのを控える?

もうひとつ例を挙げよう。税務署の職員が不正を働き、市に巨額の損失をもたらしたとする。するとメディアは、その職員のもとに殺到するだろう。

彼の素性や私生活を白日の下にさらすだろう。どんな育ち方をしたのか? 何が彼を不正に駆り立てたのか? 彼の心の奥底を占めていたのは何か? 上司との関係はどうだったか? 同僚との関係は?

しかし、この職員に注目するのは間違っている。この事件で大事なのは次の二点――税務署の体質と、リスクマネジメントだ。そこを見直さなければ、リスクマネジメントや署の体質がいい加減なままでは不正を働く者はあとを絶たない――だが不正を働く人たちの経歴などは、まったくどうでもいいことだ。

〝ニュース中毒〟になると、頭のなかには誤ったリスクマップができあがり、私たちはそれをもとにあちこち歩き回ることになる。いま架かっている橋に問題があったとしても、どこに問題があるのかや、これからはどんなふうに橋を建設すればいいのかや、誰がそれらについて検討するのかが私たちに知らされることはない。

同じように、私たちが**重要度の評価を間違えていること**は、そのほかにもたくさんある。

・テロリズムは過大評価され、慢性的なストレスは過小評価されている。
・銀行の破綻は過大評価され、国家財政に対する無責任さは過小評価されている。
・ブリトニー・スピアーズは過大評価され、大気調査の結果は過小評価されている。
・宇宙飛行士は過大評価され、看護師は過小評価されている。
・サメの襲撃は過大評価され、海の酸性化は過小評価されている。
・飛行機の墜落事故は過大評価され、抗生物質に対する細菌の抵抗力は過小評価されている。
・意見は過大評価され、行動は過小評価されている。

日々消費するニュースを通して重要だと感じることは、実際に重要性の高いことからは極端にかけ離れていて、結果として、不適切で間違った行動をとる原因になる。

新聞や雑誌で読むリスクは、真のリスクではない。テレビで飛行機の墜落事故を見ると、その後しばらく飛行機に乗るのを控える人は少なくない。実際には飛行機が墜落することはきわめてまれで、**墜落事故が起きたからといって自分の行動を変える必要性はまったくない**のだが。

その事実を意識しながら、分別をもってニュースを消費すればいいじゃないか、とあなたは言うかもしれない。だがその考えは間違っている。

インパクトのある報道を過大評価する傾向を、意識的に考えをめぐらせたり理性的な評価を心がけたりして調整することはできない。私たちの脳は弱すぎるのだ。そのふたつを同時には行えない。

リスクを現実的に評価する習慣が身についているはずの銀行家や経済学者でさえ、ニュースを理性的に評価することはできていないのだ。

あなたはもううすうす気づいているだろうが、解決法はたったひとつだ。ニュースの消費を完全にやめればいい。誤ったリスクマップから知識を得ようとするのはやめよう。そんな地図は捨ててしまったほうがいい。

▼重要なポイント

ニュースを消費すると、頭のなかに誤ったリスクマップができあがる。だからニュースをもとに決断を下すのはやめたほうがいい。実際のリスクだけをもとにして決断を下そう。それらが見つかるのは、本や統計や、きちんと調査して書かれた長文記事のなかだ。

11

ニュースは「時間の無駄」である

「ニュースの消費時間」を計算するとわかること

ニュースは法外な無駄を生じさせる。ニュースを消費することは、時間の浪費につながるからだ——それも、次の三つの観点において。

まず、ニュースを消費すること自体に時間がかかる。ニュースを読んだり、聞いたり、テレビで見たり、ノートパソコンやスマートフォンをスクロールしたりすることに時間を割かなくてはならない。

次に、ニュースによって逸れた注意をまたもとに戻すのにも時間がかかる。いわゆる「切り替えコスト」と呼ばれるもので、ニュースに気を逸らされる前までしていた何かに再び集中するまでの時間が無駄になる。

最後に、ニュースを消費すると、あなたの注意力はそのかなりあとまで損なわれたままになる。ニュースの内容や写真は数時間経ってもあなたの頭のなかをさまよって、あなたの思考を幾度も妨げる。

ちょっとした計算をしてみよう。

あなたは毎朝新聞に目を通し、昼にはラジオでニュースを聞き、夜にはテレビでニュースを見る。そこに、仕事に疲れたときにちょっと休憩しようとお気に入りのニュースサイトをチェックして、脱線するときの時間を追加する。自分を〝ねぎらう〟ために、軽い気持ちでスマートフォンでニュースを読んだり、ソーシャルネットワークのニュースフィードを見たりする時間も加算しよう。

それらをすべて合わせると、ニュースを消費すること自体に使っている時間がわかる。人々の意見や傾向を調査しているアメリカのピュー研究所は、この時間を**一日五八分から九六分のあいだ**と見積もっている。ちなみに、学歴の高い人ほど一日あたりのニュースの消費時間は長いそうだ。

次に、ニュースで逸れた注意をまたもとに戻すための時間を加えよう。

ニュースを読むたびに、あなたは自分の思考をもう一度かき集めなくてはならない。仕事はどこまで進んでいただろう？　あの文書はどこに保存しただろう？　ニュースがあなたの注意を独占する前に、次に取りかかろうとしていたことはなんだっただろう？　逸れた注意をもとに戻すためだけに、毎回二、三分の時間が奪われている。

そこに、たとえば列車事故の様子を写した何枚もの写真など、あなたの頭から離れない記事の内容についてあなたが考える時間（一日に二回、五分ずつ）も追加しよう。

これらすべてを考慮に入れると、**あなたは少なくとも一日あたり一時間半は無駄にしていることになる。**


たいした時間ではないように思えるだろうか？　だが一週間も経つと、あなたは一日の労働時間に相当する時間を失うことになる。一年あたりでは、かなり控えめに見積もったとしても、**無駄にしている時間は一か月にもなる。**まる一か月である！

私の一年は一二か月だが、あなたの（あなたがニュースを消費しているなら）一年は一か月しかないのだ。

なぜ自分にそんなことをするのだろう？　それだけの時間を無駄にして、あなたは一体どんな対価を手にできるというのだろう？　あなたは世界をもっとよく理解できるようになっただろうか？　あなたの「能力の輪」は充実しただろうか？　前よりもよい決断ができるようになっただろうか？　集中力が上がっただろうか？　前よりも心が平静になっただろうか？

私たちが本当に倹約すべき唯一の財産は「時間」

地球規模で考えると、時間的な損失は計り知れない。二〇〇八年に起きたムンバイの同時多発テロを例にとって考えてみよう。

テロリストは、単なる自己顕示欲から二〇〇人をも殺害した。このムンバイでの悲劇に、**一〇億人が平均一時間、注意を向けたと想像してみてほしい。**それだけの人が全員、ニュースを追ったり、〝コメンテーター〟がテレビで意味のないおしゃべりをするのを見たりしたのだ。インドだけでも一〇億の人口があることを考えれば、この推測はきわめて現実的といえるだろう。

一日じゅうこの事件の経過を追いながら過ごしていた人も多かっただろうが、ここでは控えめに見積もっておくことにする。一〇億人が一時間ずつニュースに気を逸らされたとすると、無駄になった時間は合計一〇億時間にものぼる。年数に換算すると、一〇万年以上だ。

人間の平均寿命の世界平均は、六六歳である。つまり経済的な観点から見ると、**ニュースの消費によって二〇〇〇人の一生分の時間が〝浪費〟されたことになる**――テロの犠牲者数の実に一〇倍である。意図していなかったとはいえ、報道機関はある意味、世界の注目を集めるというテロリストの目的の遂行に手を貸したのだ。

もちろん、テロの犠牲者数をニュースの消費による犠牲者数と比較するのは不遜な印象を与えるかもしれない。しかし悲しいことだが、事実、テロリストはニュースメディアを必要としているのだ。そのことについては第二八章で詳しく取り上げる。

もっと極端なのは、マイケル・ジャクソンの死によって失われた時間だ。

親族や熱狂的なファンにとっては、マイケル・ジャクソンの死は悲劇だったかもしれないが、ほとんどの人にとってはさほど重要な出来事ではない。それなのに私たちは、マイケル・ジャクソンの死のために何百時間もの時間を無駄にしたのだ。

情報は、今日(こんにち)ではもはや乏しい資源ではない――だが注意力は違う。なぜあなたは、自分の注意力をそれほどぞんざいに扱うのだろう？　自分の健康や評判やお金に対しては、あなたはもっと気をつかっているはずだ。

古代ローマの偉大な哲学者、セネカはすでに二〇〇〇年前にこう疑問を呈している。「お金のことになると私たちは倹約家になる。それなのに、時間に関してはとんでもない浪費家になる――私たちが本当に倹約すべき唯一の財産は、時間だというのに」。

私はこれまで、タイムマネジメントに関する数えきれないほどの本を読んだし、そこに書かれているアイディアもいろいろと実践してみた。時間を有効利用するための善意のアドバイスをすべて試した結果、私がたどり着いた結論はこうだ。
時間の余裕を生み出すための最も簡単で有効な方法は、ニュースを断つことだ。

▼重要なポイント

家族やキャリアや趣味のために、毎年一か月の余分な時間を手に入れたければ、ニュースは断つことだ。これほど多くの時間の余裕を生み出せる方法はほかにない。

世界一伸びるストレッチ

中野ジェームズ修一　著

箱根駅伝を２連覇した青学大陸上部のフィジカルトレーナーによる新ストレッチ大全！
体の硬い人も肩・腰・ひざが痛む人も疲れにくい「快適」な体は取り戻せる。

定価＝本体 1300 円＋税
978-4-7631-3522-3

コーヒーが冷めないうちに

川口俊和 著

「お願いします、あの日に戻らせてください……」
過去に戻れる喫茶店を訪れた４人の女性たちが紡ぐ、家族と、愛と、後悔の物語。
シリーズ 100万部突破のベストセラー！

定価＝本体 1300 円＋税
978-4-7631-3507-0

血流がすべて解決する

堀江昭佳 著

出雲大社の表参道で 90 年続く漢方薬局の予約のとれない薬剤師が教える、血流を改善して病気を遠ざける画期的な健康法！

定価＝本体 1300 円＋税
978-4-7631-3536-0

いずれの書籍も電子版は以

モデルが秘密にしたがる 体幹リセットダイエット

佐久間健一 著

爆発的大反響！

テレビで超話題！芸能人も－17 kg !! －11 kg !!!

「頑張らなくていい」のにいつの間にかやせ体質に変わるすごいダイエット。

定価＝本体 1000 円＋税
978-4-7631-3621-3

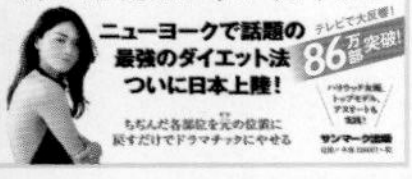

ゼロトレ

石村友見 著

ニューヨークで話題の最強のダイエット法、ついに日本上陸！

縮んだ各部位を元（ゼロ）の位置に戻すだけでドラマチックにやせる画期的なダイエット法。

定価＝本体 1200 円＋税
978-4-7631-3692-3

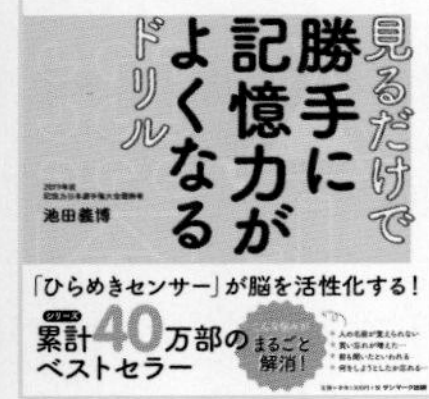

見るだけで勝手に記憶力がよくなるドリル

池田義博 著

テレビで超話題！ 1日2問で脳が活性化！

「名前が覚えられない」「最近忘れっぽい」

「買い忘れが増えた」

こんな悩みをまるごと解消！

定価＝本体 1300 円＋税
978-4-7631-3762-3

12

ニュースは「理解」を妨げる

あらゆる出来事はすべてが複雑に絡み合って起こる

ニュースに説明能力はない。ニュースはきらきら光るシャボン玉の粒のようなもので、複雑な世界の表面に触れたとたんにパチンとはじけてしまう。

「自分たちは事実を正確に伝えている」という報道機関の強い思い込みは、それだけに一層馬鹿げている。ほとんどの場合、彼らが伝える事実というのは、もっと深いところに根ざした原因の付随現象や後続現象にすぎない。

シリアの最新ニュースや写真を毎日むさぼったところで、この戦争への理解は少しも深まらない。その反対だ。

戦地の写真や戦線から送られてくるニュースを浴びれば浴びるほど、戦争地域で何が起きているのか、なぜそのようなことが起きているのか、あなたは理解できなくなる。報道機関とニュースの消費者は同じ思い違いに陥っている。事実を並べ立てることと、世界で起きている出来事同士の関連性を見抜くことを取り違えているのだ。
「事実を、事実を、もっと事実を」――ほぼすべての報道機関が共通して掲げていることの信条が、思い違いの元凶である。

私たちが本当に理解しなくてはならないのは、目に見える出来事の根底にある〝発電機〟だ。本当に調査すべきなのは、ニュースの大本（おおもと）である〝機械室〟だ。

ところが、起きていることの因果関係を説明できるジャーナリストは、残念ながら驚くほど少ない。文化的に、精神的に、経済的に、軍事的に、政治的に、生態学的に重要な出来事が形づくられていく過程は、たいていの場合、目に見えないからだ。

複雑で先の展開が読めず、私たちの脳はそのプロセスをなかなか消化できない。報道機関が軽いテーマに目をつけるのはそのためだ。逸話、スキャンダル、有名人に関する記事や災害の写真。それならコストをかけずにニュースができるし、消化もしやすい。

しかし、〝機械室〟を理解でき、それについて書く力のある数少ないジャーナリストにも、それを書くためのスペースは与えられない。ましてやそのための思考時間が与えられることはもっとない。

なぜなら読者の大多数は、たった一本の深く掘り下げた記事よりも、一口サイズのニュースを一〇本消費するほうを好むからだ。センセーショナルなスキャンダルを一〇本連続して報じるほうが、同じ長さの知的な文章を掲載するよりも、注目度が――そして自動的に広告収益も――上がるのだ。

子どものころ遊んだパズルの本に、番号を振ったたくさんの点しか書かれていない白いページがあったのを、あなたはきっと覚えているだろう。点を番号順につなげるパズルで、完成させると絵が現れる。ニュースはこの点のようなものだ――ただし、それらの点をつなげようとする人は誰もいないし、謎を解こうとする人もいない。どれだけニュースを消費しようが、絵は現れてこない。

「全体像をつかむ」には、個々の出来事のつながりを把握する必要がある。具体的に言えば、その背景にあるものや相互の依存関係、フィードバック作用［ある原因から生じた結果が原因に反作用をもたらし、そのことによってものごと全体が望ましい方向に調整されること］、それぞれの出来事から直接もたらされる影響、そしてその影響から副次的に現れる結果などだ。

しかし、ニュースジャーナリストは複数の出来事の関連を指摘したりはしない。ニュースは世界を理解することの対極にある。ニュースを消費するとあなたは、世界には出来事しかないと――ほかの出来事とは関係のない、個別の出来事しかないと信じ込まされてしまう。「事実を、事実を、もっと事実を」とメディアが報じるとおりに。

だが実際にはその逆で、世界で起きていることはほぼすべてが複雑に絡み合っている。それらを個々に独立した現象のように扱うのは、まやかしだ――そのまやかしをニュースの生産者は世間に広め、私たちニュースの消費者はそれに大いに食欲をそそられている。

だがこの間違いは致命的だ。なぜなら〝世界を理解する〟ためにニュースを消費することは、ニュースをまったく消費しないよりも悪い結果をもたらすからだ。

情報量が多いほど、人は「自信過剰」になる

アメリカ建国の父のひとりとされるトーマス・ジェファーソンは、一八〇〇年にすでにそのことを見抜いていた。**「何も読まない者は、新聞しか読まない者よりも教養が高い」**。

事実は思考を妨げる。脳が事実のなかで溺れてしまうのだ。

ニュースを消費すると、自分は世界を理解しているという錯覚に飲み込まれる。そしてそう錯覚すると、人は「自信過剰」に陥りやすくなる。

オレゴン大学の教授であるポール・スロヴィックが、競馬予想の質について調べた有名な実験がある。

スロヴィックは、競馬の参加者たちに提供する馬の情報量を徐々に増やしながら、「ど

の馬がレースを制すると思うか」だけでなく、「自分の予想にどのくらい自信があるか」も彼らに尋ねた。結果はどうなっただろうか？

馬に関する情報の量は、予想の的中率になんの影響も与えていなかったが（提供されたのは、どれもわかりきった情報ばかりだった）、参加者の「自信」には大きな影響を与えていた。**与えられた馬の情報量が多いときほど、参加者たちの自信の度合いは高かった。**予想に必要な「用心深さ」や「疑い」や「謙虚さ」は文字どおり情報の洪水に洗い流され、「慎重な判断」が「絶対的な確信」に突然変異してしまったのだ。

いまこの本を読んでいるあなたは、こうしたニュースの氾濫の犠牲になりたくはないだろう。

すでにお気づきだと思うが、あふれる事実のなかでは**「決断の質」**は落ちてしまう。ニュースを断ち、世界はそんなふうに簡単に理解できるものではないということを、まずは受け入れよう。

そうすれば、あなたは自分の持つ知識に対していまよりも謙虚になり、注意深くなり、もっと慎重に思考を重ねるようになる。それにそうしていれば、「自信過剰」の犠牲になることもない。

「何が起きているかは誰にもわからない。なのに新聞は、毎日それがわかっているようなふりをする」と炯眼なスイスの作家、マックス・フリッシュはすでに四〇年以上前に書いている。

目下の現実は、理解をくもらせる。一番いいのは日々流入するニュースを完全に断つことだ。世界の複雑さに対応しうる長文記事や本を読もう。きらびやかなトップ記事や、事実の噴水や、つながりのないただの点を読むのではなく。ほんの数か月もすれば、あなたは世界をいまよりも明確に理解できるようになっているだろう。

▼重要なポイント

ニュースを消費すると、世界への理解が遠のく。ニュースの紙吹雪には別れを告げて、あなたに世界の〝機械室〟を見せてくれる良質な本や、優れた長文記事を読もう。

郵 便 は が き

料金受取人払郵便

新宿北局承認

8720

差出有効期間
2022年11月
30日まで
切手を貼らずに
お出しください。

169-8790

154

東京都新宿区
高田馬場2-16-11
高田馬場216ビル 5 F

サンマーク出版愛読者係行

ご 住 所	〒 都道府県	
フリガナ		☎
お 名 前		(　　　)
電子メールアドレス		

ご記入されたご住所、お名前、メールアドレスなどは企画の参考、企画用アンケートの依頼、および商品情報の案内の目的にのみ使用するもので、他の目的では使用いたしません。
尚、下記をご希望の方には無料で郵送いたしますので、□欄に✓印を記入し投函して下さい。
□サンマーク出版発行図書目録

1 お買い求めいただいた本の名。

2 本書をお読みになった感想。

3 お買い求めになった書店名。

市・区・郡　　　　町・村　　　　書店

4 本書をお買い求めになった動機は?

・書店で見て　　　・人にすすめられて
・新聞広告を見て(朝日・読売・毎日・日経・その他=　　　)
・雑誌広告を見て(掲載誌=　　　)
・その他(　　　)

ご購読ありがとうございます。今後の出版物の参考とさせていただきますので、上記のアンケートにお答えください。**抽選で毎月10名の方に図書カード(1000円分)をお送りします。**なお、ご記入いただいた個人情報以外のデータは編集資料の他、広告に使用させていただく場合がございます。

5 下記、ご記入お願いします。

ご職業	1 会社員(業種　　　) 3 公務員(職種　　　) 5 主婦		2 自営業(業種　　　) 4 学生(中・高・高専・大・専門・院) 6 その他(　　　)
性別	男・女	年齢	歳

ホームページ　http://www.sunmark.co.jp　ご協力ありがとうございました。

13

ニュースは「体に毒」である

「悪いこと」は「よいこと」よりも重要だと感じてしまう

二種類の架空の動物がいると想像してみよう。**「動物A」**の脳は、主にネガティブな情報に反応する。反対に**「動物B」**の脳は、ポジティブな情報を受け取ると活性化する。生きることを楽しめるのはどちらの動物だろう？　もちろんBだ。Aがストレスを感じ、心配ごとを抱えながら生きなければならないのに対して、Bは存分に生きるよろこびを享受できる。目にし、耳にするすばらしいものすべてを楽しみ、ネガティブなことはすべて笑みを浮かべて右から左に受け流すことができる。

長生きするのはどちらだろう？　もちろんAだ。

Bの陽気さはうらやましい限りだが、数か月もすれば、Bは遺伝子プールから排除されてしまうだろう。生き残るのはAだけだ。常に注意をしていなければ、動物が生き残ることはできない。つまり動物は、ネガティブな情報に過敏に反応する必要があるのだ。私たちは、Aのタイプだ。

悪いことは、よいことよりも重要だと感じられる。そのためネガティブな情報は、ポジティブな情報のおよそ二倍強く私たちに作用する。この現象を心理学者は**「ネガティビティ・バイアス」**と呼んでいる。

すでに一歳の赤ん坊にもこの傾向は見受けられ、ポジティブな刺激よりもネガティブな刺激に強く反応する。

大人になってもこの偏りは変わらない。株価が一〇パーセント下がったときの落胆は、株価が一〇パーセント上がったときのよろこびの二倍強く感じられる。「ネガティビティ・バイアス」は人間本来の性質なのだ。

ネガティブな情報に注目する私たちの習性は、ニュースメディアによって植えつけられたわけではない。私たちの生来の傾向を、彼らは巧みに利用しているのだ。心配性な私たちの脳に合わせてあつらえたショッキングな記事を、メディアは絶えず私たちに供給している。

ニュースは、自律神経系のひとつである「交感神経」を休ませない。感情を乱されるような話を見聞きすると、そのたびにストレスホルモンである「コルチゾール」が放出される。血液中にコルチゾールが放出されると、その量の多寡(たか)にかかわらず、免疫システムは弱まり、成長ホルモンの生成も妨げられる。**ニュースを消費すると、あなたの体はストレスにさらされる**のだ。

慢性的なストレスは、消化不良や成長障害（細胞や髪や骨などに対して）、いら立ちを引き起こすほか、感染症に対する抵抗力を弱める原因にもなる。ニュースの消費によって不安症状が現れたり、攻撃性が高まったり、ものごとを見る視野が狭くなったり、感情的に鈍感になったりといった副作用が生じることもある。

つまりニュースの消費者は、自分の心身の健康を危険にさらしているのである。

「ネガティブなニュース」は心配ごとを深刻化させる

アメリカ心理学会の調査によれば、**全成人の半数がニュースの消費を原因とするストレス症状に苦しんでいる**という。

だが驚くには値しない。過去一〇年のあいだに、ふたつのことが大きく変化したからだ。まず、「ニュースの消費量が以前よりも格段に増えた」。どこにでも持ち運べるスマートフォンと、いたるところに設置されているニュース画面のおかげである。

アメリカ人の一〇人にひとりは世界のニュースを一時間に一度はチェックしているというし、ソーシャルメディアのフィードを見る回数になると、その確率はもっと高くなる。

そしてもうひとつは、「ニュースがどんどん強烈に、ショッキングになっている」ことだ。

『実験心理学ジャーナル』誌の編集長を務めるグレアム・デイビィ教授は、これらふたつの変化が、ニュースを消費する人の心の健康を損なう要因になっている場合が多いことを突き止めている。

ニュースの動画のなかにはその強烈さから、睡眠障害や気分の変調、攻撃的な行動といった激しいストレス症状を引き起こしたり、それどころかＰＴＳＤ〔心的外傷後ストレス障害。強いストレスを受けたあと、時間が経ってからも精神的な苦痛がつづくこと〕の原因になったりしているものすらある。

人は誰もがそれぞれ、個人的な心配ごとを抱えている。ときにはそれらに圧倒されて、どうしていいかわからなくなることもある。

健康的な環境にいれば、そうした困難な状況と折り合うためのコツはいくらでもある（それについては『Think clearly』に記述ずみである）。しかしまずいことに、ニュースを消費すると、それらの対処法は台無しになってしまう。

ネガティブなテレビニュースは、個人的な心配ごとを深刻化させることが、デイビィ教授によってすでに証明されている。ニュースの内容が心配ごととなんの関連もなくても、この悪影響は変わらない。

健康的な生活を送るには、「意志力」が必要だ。明晰に思考するにも、仕事の生産性を上げるためにも、健康的な食生活を送るためにも、体調を保つためにも意志力がいる。しかし残念ながら、ストレスが増えるにつれて意志の力は弱くなり、私たちはすべき行動を先延ばししがちになる。

快適ではないが重要な行動を、快適だが重要ではない行動に置き換えるようになる。フィットネスセンターに行って体を酷使するかわりに、ネットサーフィンをしていろいろなニュースサイトをチェックしたりしてしまう。そうなるともう悪循環だ。

ニュースを消費すると慢性的にストレスがたまり、ストレスがたまれば意志の力が弱くなる。意志の力が弱いともっと長くネットサーフィンをしたくなり、その結果ストレスが増えれば、意志の力もさらに弱くなる。

結論は明白だ。ニュースを消費すると、あなたの人生の質は低下する。ストレスを抱えながら生活しなければならなくなり、いらいらしやすくなり、病気がちになって、寿命が縮まる。

とても悲しいニュースだが、それでも、このニュースには注目するだけの価値はある。

▼重要なポイント

ニュースの消費は精神にだけでなく、体にも副作用を引き起こす。ただでさえストレスの多い人生に、人工的なストレスをさらに抱え込むことはない——そんなことをしても、何もいいことはない。ニュースを断てば、あなたの体がよろこぶだろう。

14

ニュースは「思い違い」を強化する

ソーシャルメディアは「見たいもの」しか示さない

私たちが陥りがちな思考の罠は、およそ一二〇種類ある（それらについては『Think right』と、また別の私の著書『Think Smart』に記してある）。そのせいで私たちは、合理性や、理性的な思考や行動から繰り返し逸脱してしまう。

思考の誤りは、ビジネスやプライベートにおける「決断の質」を低下させる。そしてニュースはそうした思考の誤りを、正すどころか強化する。

思考の誤りの代表格である**「確証バイアス」**を例にとって考えてみよう。

質問。「3、6、9、12……次にくる数字はなんだろう？」

あなたがたいていの人と同じように考えたとしたら、あなたの答えは「15」だろう。だがあなたは「14」あるいは「52」と答えてもよかったのだ。

「それはないだろう」とあなたは口をはさむかもしれない。「ここで適用されているルールはどう見ても三の段だ！」。そうかもしれない。

だがそうとは限らない。適用されているルールは「次の数字は前の数字よりも大きくなくてはならない」ということだってあり得るのだ。

一体、何が起きたのだろう？　すぐ目につくのは、数字が整然と三ずつあいだを空けて並んでいることだ。あなたはそのことに気をとられてしまい、そのほかのすべての可能性をはじめから排除してしまったのである。


しかし、これはごく普通の反応だ。私たちは、**「自分のお気に入りの見解に反する情報」は自動的に排除する一方で、「自分の確信を後押しする情報」には敏感になる。**

それが数字の並び方に関してならなんの問題もない。危険なのは、政治的な見解や、お金がかかわっているときだ。

私たちは、新しい情報をすべて、それまでのものの見方と合致するように解釈する名人だ。たとえあなたの見解が間違っていたとしても、ニュースを消費する量が増えれば自分の見解の正しさを証明する情報に出会う頻度は高くなる。

今日（こんにち）では、ニュースはもはや価値ある情報を探し出す試掘の役割を果たしていない。間違った意見を無効にする（ニュースの量が非常に限定されていた当時はそうだった）どころか、さらに強固にしてしまう。

この作用をもたらす一番厄介なニュース媒体はソーシャルメディアで、「確証バイアス」がアルゴリズムのフィルター機能という形ですでに組み込まれている。

フェイスブックはあなたが見たいものや聞きたいことを推測して、それにふさわしいものだけをあなたに示す。あなたとは違う意見を探しても無駄骨だ。あなたの〝友達〟が異なる意見を持っていたとしても、あなたがそれを目にすることはない。

自分の意見の「反論」を意識的に探したほうがいい理由

最も危険なのは、イデオロギーに関する「確証バイアス」だ。イデオロギー（社会思想、政治思想）は、私たちの脳がつくり出す最も愚かしいもののひとつだ。

イデオロギーを持つということは、自分で自分の精神を閉じ込める牢獄をつくり上げることにほかならない。イデオロギーの強力さは意見の一〇乗で、あらゆることに対する見解をひとまとまりで提供し、それだけでまるごとひとつの世界観を構成する。脳に高圧電流のように作用して、私たちにさまざまな短絡的行動をとらせるばかりか、ヒューズをすべて焼ききってしまう。

何があろうと、イデオロギーや教義（宗教や宗派の教え）には近寄らないほうがいい。あなたが少しでも共感を持てるようなイデオロギーや教義がある場合は特に要注意だ。イデオロギーを持つことが間違いなのは確実で、あなたの世界観が狭まって、結果的にお粗末な決断をしてしまう。

ニュースは「確証バイアス」を強めるため、イデオロギーの形成を助長する。政治的な議論において目にする光景がまさにそれだ。ニュースの強い嵐にさらされると、国民の意見は極端に二分化してしまうのだ。

ここまでは明快だ。ただし問題は、多くの人は、イデオロギーにのめりこんでしまってもまったくそれと気づかないということだ。

もしあなたが何かの教義に心酔している様子の人に出会ったら、「あなたの世界観を手放さざるを得ないのは、どんな出来事に遭遇したときですか？」と尋ねてみよう。

もしその質問に対して答えが返ってこなければ、その人物からは大きく距離を置いたほうがいい。そしてもちろん、その人物の考え方からも。

あなたも「自分は大丈夫だ」とうぬぼれずに、何かの教義に取り込まれそうになっているのではないかと不安になったときは、自分自身に対しても同じ問いかけをしてみるといい。あなたの意見に対する**「反論」**を意識的に探して、あなた自身の論理の確実性を確かめるのだ。

たとえば、あなたがテレビのトークショーのゲストとして招かれ、一緒に招かれたほかの五人のゲストが全員、あなたと反対の立場をとったときのことを想像してみよう。あなたの意見が尊重されるのは、じゅうぶんに理論武装した反対の立場の五人を納得させられるほど、自分の立場をしっかりと主張できたときだけだ。

しかし、たとえあなたの脳がイデオロギーに侵食されていなくても、株式市場や、隣人の犬や、上司の人柄や、ライバルの戦略についてなど、あなたが世界についてなんらかの意見を持っていれば――自分なりの意見を持つのはごく当たり前のことなのだが――、「確証バイアス」はあなたに襲いかかってくる。

そしてあなたがさほど強い「確証バイアス」に陥っていなかったとしても、ニュースの消費はこの人間の弱点を悪化させる。

その理由はなんだろう？　なぜならニュースが無数にあれば、自分たちの意見を強固にできるだけのじゅうぶんな情報が――たとえその意見が間違っていても――必ず見つかるからだ。

結果的に私たちは「自信過剰」に陥りやすくなり、理性的な判断ができなくなり、馬鹿げた危険を冒して、最終的には好機を逃してしまう。

▼重要なポイント

ニュースは思考の誤りの代表格である「確証バイアス」を強化する。あなたのお気に入りの見解を意識的に疑問視して、決断の質を上げるようにしよう。だがそれができるようになるには、まずはニュースを断たねばならない。

15

ニュースは「後知恵バイアス」を強化する

「短いニュース」ほど危険性が高くなるわけ

世界は複雑で躍動的で、混沌としている。

「原因」と「結果」は、それぞれ直線で結びついているわけではない。必ずといっていいほど、何百、ときには何千という原因が融合し、ある特定の結果を生じさせている。そして多くの場合、結果は原因一つひとつに対して反作用を及ぼしてもいる。

二〇〇八年に起きた「世界金融危機」を例にとってみよう。

このときの金融システムの崩壊は、さまざまな要因が混じり合い、有毒なカクテルとなって引き起こされた。

株式市場の高揚感。抵当貸付利用者数の増加。世間に蔓延(まんえん)した、住宅価格はけっして下がらないという思い込み。銀行の負債比率。怪しげな有価証券(「不動産担保証券」や

「債務担保証券」といった謎めいた名前がつけられていた)。いかがわしい有価証券に対する保険(こちらにはもっとひどい名前がついていた)。格付け会社の悪質な行為。抵当貸付の貸し手の悪質な行為。ヨーロッパの投資家の、アメリカの債券への完全に度を越した購買意欲。大西洋のあちら側とこちら側での、銀行に対する手ぬるい監視。不適切なリスクの計算式。金融機関に対するほぼ国家レベルの保証など。

いま振り返ると、どれも大問題につながりかねない要素であることは明らかなように思える。その結果私たちは、「この金融危機は当然の帰結で、予測可能だった」という錯覚に陥ってしまう。

この傾向は**「後知恵バイアス」**と呼ばれている。ものごとが起こったあとで、「そうなると思っていた」と思ってしまうのだ。

だが当時、台風の目のなかでは何ひとつわからなかった。そして残念ながら、次にまた何かの危機のただなかにいたとしても、私たちはやはり何が起きているかをまったく把握することはできないだろう。

もちろん、ニュースなしでも私たちが「後知恵バイアス」に陥ることはある。だがニュースを消費すると、この思考の誤りはエスカレートする。**消費するニュースが短ければ短いほど、その危険性は高くなる。**

ニュースは極端に短くなければならないにもかかわらず、起きた出来事についても綴らなくてはならない。それを可能にするには、ものごとを容赦なく簡潔化するしかない。ちょっとした自転車事故だろうが世界規模の経済危機だろうが、何が起きたかとは関係なしに、常にひとつ、ふたつの原因だけを挙げるしかない。そのほかにもある多くの原因や、それらの原因が重なり合ってその結果が引き起こされたことや、結果と原因のあいだで起きた反作用について（それが強化作用であっても鎮静化作用であっても）語られることはない。

ニュースを消費すると、「世界は実際よりも単純で説明可能だ」という錯覚に飲み込まれ、あなたの「決断の質」は損なわれてしまう。

「たったひとつの理由」など存在しない

ニュースを断ち、そのかわりに特定のテーマについて書かれた長文記事や本を読んだり、専門家と議論したりすれば、複数の出来事のつながりに関してずっと現実に忠実なイメージを持つことができる。それに、未来をたやすく予測できるという錯覚に陥ることもない。

だが、言うは易く行うは難しだ。なぜなら**私たちの脳は**、**起きたことに〝意味づけ〟できる物語を求める**ものだからだ。それもできるだけ早く、シンプルに。その物語が現実に即しているかどうかは二の次だ。

ニュースジャーナリストは、私たちにそうした類の偽りの物語を提供する。株式市場が一パーセント下落したと報じるかわりに、レポーターは「市場はXという理由から一パーセント下落しました」と解説する。

このXというのは旧知の要因である場合がほとんどだ。収益予想の変化、ユーロ不安、公表された労働市場調査結果の影響、発券銀行の決定、テロ、地下鉄職員のストライキ、大統領間の取り決めなど。

だが実際には、**Xというたったひとつの理由など存在しない**。短くまとめるために、ニュースでは理由をでっち上げざるを得ないのだ。

そう考えたときに私の頭に浮かぶのは、ギムナジウム［ドイツ語圏にある中高一貫の進学校］時代のことだ。

私の歴史の教科書には、フランス革命が起きた原因が三つ（ふたつでも七つでもなく）挙げられていた。それがなんだったかは忘れてしまったが、大事なのはその中身ではない。なぜならその三つは、本当の原因を構成するほんのわずかな一部だったに違いなく、そのうえその本当の原因がなんだったのかも、正確にわかる人はいないはずだからだ。

なぜフランス革命が起きたのか、確実なことは私たちにはわからないし、なぜそれが一七八九年に起きたのかはもっとわからない。

同様に、株式市場がなぜいまのような値動きを見せているのか、その理由も私たちにはほとんどわからない。影響を与えている要因が多すぎるからだ。戦争が勃発する原因も、画期的な技術の進歩が起きる理由も、サッカーの試合でバルセロナがマドリードに勝つ理由も、私たちには確実にはわからない。

「市場はXという理由でこう動いた」や「Yという理由からこの企業は破綻した」などと書くジャーナリストは全員、愚か者か読者を欺こうとしているかのどちらかだ。確かにXやYは影響要因ではあるのだろうが、それはけっして証明されているわけではないし、もっと大きな影響を与えた要因はほかにあったかもしれない。

ニュースレポートは、ある出来事に対する「分析」のようなていで売られている場合が多い。だが実際には、ただの逸話にすぎないのだ。

こうしたいい加減な方法で世界について知る手ほどきを受ける誘惑に抗おう。その方法は完全に間違っている。そんなふうに解説を受けても、本当の、真剣な思考の妨げになるだけだ。そのうえ、世界に対する理解を少なくとも少しは深められるまたとないチャンスまで失うことになる。

▼重要なポイント

ニュースを消費すると、あなたは、世界は実際よりも単純で説明可能だという錯覚に飲まれてしまう。短いニュースが提供するでっち上げの理由を受け入れるより、自分で考えをめぐらせよう。

16 ニュースは「利用可能性バイアス」を強化する

「取り出しやすい」情報を優先的に頼って判断している

いますぐに、ぱっと頭に浮かんだ**「花」と「色」と「ペット」の種類**を言ってみよう！　言い終えただろうか？　あなたがたいていの人と同じように考えたとしたら、あなたの答えは「薔薇」「赤」、「犬」あるいは「猫」といったところだろう。花の種類は一万種もあり、色は数十色も、ペットの種類もきっと百種類は下らないだろうというのに。

これが「利用可能性バイアス」だ。**私たちは自分の目の前にある情報や、すでに頭のなかにあって取り出しやすい情報を優先する**ものなのだ。

「利用可能性バイアス」については拙著『Think right』の「イメージのワナ」の章で詳しく取り上げた。頭から取り出しやすい〝利用可能な〟情報は、私たちの決断に強い影響を及ぼす。

どんな決断も決断の根拠となるものにもとづいて下されるが、その根拠は情報でできている。そうした情報を選び出すとき、私たちはいつも、数多の情報のなかからすでに手元にある手軽なものを取り上げる。重要度はもっと高いかもしれないが、残念ながら調べなくては手に入らないような情報を選ぶことはない。

経済界から例を挙げよう。経営陣は会議の際、議事日程の項目順に整然と議論を進めていく。だが、もっと重要かもしれないのに、議事日程には含まれていない項目については議論しない。

政治の世界にはこんな例もある。私はスイスのベルンに住んでいる。このスイスの首都はこぢんまりしているため、必然的に政府機関で働いている人と知り合う機会がある。

ある高い役職にある役人が、私にこんな話をしてくれたことがある。連邦参事（スイスでは内閣の閣僚はそう呼ばれている）が集まる週に一度のブリーフィングでは、決まって全員が、まずメディアが報じた論評について話しはじめるのだという。

これがなかなか厄介で、メディアの論評よりももっと重要で、まだ手つかずのままのテーマがいくつもあることを、再三再四指摘しなくてはならないらしい。

ニュースは、ほかのものを押しのけて意識の表面に浮上する、途方もない力を持っている。その影響を受けていては、分別ある決断を下すのはほぼ不可能だ——とりわけ、経済や政治に関する決断は。

ニュースを消費すると、あなたはニュースを決断の根拠として使う危険を冒すことになる。そのニュースがあなたの心を占めているテーマとはほぼなんの関係もなくても、無意識のうちにそうしてしまうのだ。

たとえばあなたが、地球の反対側で起きた飛行機の墜落事故のニュースを聞いたとしよう。そしてその翌日に、見込みのありそうな取引を成立させるには、ロンドンに飛ぶ必要があることが明らかになったとする。

ところが前日のニュースの影響を受けているあなたは飛行機に乗るのを躊躇して、ミーティングを反故にしてしまう。ニュース番組で取り上げられていた飛行機は、ロンドン行きのあなたのフライトとはなんの関係もないというのに。

ニュースは私たちの脳のなかで我がもの顔に羽を伸ばし、その情報のなかを私たちはよろこんでゴロゴロと転げて回る。私たちの感情を大きく動かす写真や動画や記事ほど、脳のなかに占める場所も大きくなる。

そうしてニュースは私たちの思考の最前列に場所をとり、そのほかのどんな情報（たとえば統計や歴史的な対比、複雑な論拠や反論など）よりも格段に「利用可能」になる――決断の根拠としては、そのほかの情報のほうがはるかに適していたとしても。

議論においては、テーマを設定した者が力を持つ。あなたが関心を持つべきものをニュースジャーナリストに決めさせてしまうと、あなたは自分の人生を左右する大きな力を彼らに与えることになる。

読者のみなさんは、自分の人生のコックピットには、もちろん自分ですわりたいと思うのではないだろうか？　ストレスに追われた雇われライターに操縦をまかせたくはないだろう。

価値ある情報を探す予算も時間も与えられていない彼らは、「利用可能でないもの」は「存在しないもの」にしてしまおうとする。この取り違えを、私たち消費者はほぼ自動的に引き継いでしまう。

「そこにないもの」にこそ目を向ける

ニュースジャーナリストが犯している重大な取り違えはこのほかにもある。「予防」を「存在しないもの」にしてしまうのだ。

事故を防ぐための英雄的な行為、つまり、予防になるような行為は、たいていニュースジャーナリストの目にとまらない。消防隊の次の出動先にレポーターを送り込むのは自明のことだが、誰かの思慮深い行動のおかげで大火災を防げたというルポルタージュを書くのは自明のことではないのだ。火事と闘うより、火事を阻止するほうがずっと効率がいいはずなのに。

もし誰かが、飛行機のコックピットに防弾のドアと鍵を取りつけるようアメリカの航空局を説得していたとしたら、二〇〇一年九月一一日に起きたようなテロは避けられただろう。だが、その人やその提案について書くジャーナリストはひとりもいなかったに違いない。

ニュースは、緊急の医療措置や企業再建や戦争地域での救助活動については報じても、**それらの出来事が起きるのを防ぐための行為は報じない**。

英雄的な行為は、連日、何百万と成し遂げられているというのに——高速道路に、崩落しないじゅうぶん頑丈な橋を建設する技師。霧のなかや夜間に飛行機を無事着陸させるパイロット。適切なタイミングで適切な常備薬を子どもに与える母親。

これらはすべて予防のための行為だ。賢明で、社会的に価値のある行為だ。それなのに、このどれもがニュースジャーナリストの目にも、ニュースの消費者の目にもとまらない。これは提案なのだが、予防の措置に対するノーベル賞でもあるといいのかもしれない。

残念ながら、ニュースジャーナリストが取り違えていることはもうひとつある。**「そこにないこと」は「重要でないこと」だと考え違いをしているのだ。**ときには、そこにないこと――つまり起きていないこと――こそが重要な場合もあるのだが。

たとえば、一〇年前から予測されているインフレが起きていないこと。あるいは二〇一〇年から警戒されているユーロの崩壊が起きていないこと。

起きたことを認識する感覚が研ぎ澄まされているジャーナリストは、基本的に、ないものに気づくことができない。そうして彼らは、吠えてはいないが、いつか手ひどくかまれることになる犬を見逃してしまうのだ。

▼重要なポイント

ニュースジャーナリストには本質的な盲点がある――彼らのせいではなく、ニュースというフォーマットに欠陥があるためだ。彼らは「利用可能でないもの」と「存在しないもの」を、「予防」と「存在しないもの」を、そして「そこにないこと」と「重要でないこと」を取り違えている。これらがあなた自身の盲点にならないように気をつけよう。ニュースを断って、明確にものを見る習慣を取り戻そう。

17 ニュースは「意見の火山」を活性化させる

無理して「意見」を持とうとしなくていい

遺伝子を組み換えた小麦について、あなたはどう思うだろうか？　人工知能を規制する法律は必要だろうか？　車の自動運転についてはどう考えているだろうか？　ソフトドラッグの自由化を、あなたは支持するだろうか？

こうした質問や類似の質問をされると、たとえあなたがそのテーマの専門家でなくても、あなたの脳は即座に意見をつくり出す。**「意見の火山」**がひとりでに噴火して、コントロールが利かなくなる。

しかし、噴火が起きているときの私たちのふるまいは、根本的に間違っている。たいして興味のないことにも、答えることが基本的に不可能なことにも、私たちの単純な脳には複雑すぎることに対しても、意見をつくり上げてしまうからだ。

これから実例を挙げながら、これら三つの間違いのタイプ一つひとつを見ていこう。

まず、**たいして興味がないこと**に対して意見を形成する場合。

何年か前私は、あるドーピング問題に対して自分が意見を噴き出しているのに気づいたことがある。当時問題になっていたスポーツの種目に注目していたわけでも、それ以外に注目していたスポーツの種目があったわけでもなく、アスリートたちがどんな手段で成績を上げていようが、私にはどうでもいいことだったはずなのに。

私が意見を言う必要はなかったし、それを口にしなければ、意見を言うことによって起きた気持ちのたかぶりだって感じずにすんだ。最初にそのテーマに出くわしたのは、偶然耳にしたニュースでだったのを覚えている。そのニュースを聞いていなければ、私の「意見の火山」は平和な休火山のままだったのだ。

次に、**基本的に知ることが不可能なこと**に対して意見を形成する場合。

来年の夏は、気候に恵まれるだろうか？　スイスには、周囲から非常に隔絶された、ムオータタールという名前の谷がある。そこに住む山の民の何人かは——彼らは自分たちのことを「ムオータタラー・ヴェッターシュメッカー」と呼んでいる——、アリやまつぼっくりなどをもとに、季節の天気を予報することを使命としている。冗談を言っているわけではなく、本当のことだ。

予報の際、風変わりな山の民たちはまごつくどころか、非常に如才なく見通しを告げる。もちろん予報ははずれる場合がほとんどなのだが、彼ら自身もそれはわかっているに違いない。

しかし彼らは、新聞やテレビ局が自分たちのことを取り上げ、予報を聞きたがっていることも承知しているため、彼らの側でもヤマアリに大仰にお伺いを立てつづけているのだ。実際には、次の夏の気候がどうなるかなど、誰にもわかりようがない。山間の谷で小さな「意見の火山」が噴火しているからといって、それをわざわざ見る必要はないのだ。

最後に、**私たちの脳には複雑すぎる質問**に対して意見を形成する場合。

これから二〇年のあいだに、世界大戦は起きるだろうか？　答えることは不可能だ。だがニュースを消費しているあなたは、緊張が高まりつつある米中関係についての報道を、毎日のように見聞きしているだろう。ということは、この二大国は近々ぶつかることになるのだろうか？

唯一、確実に言えるのは、その確率はゼロパーセントより大きく、一〇〇パーセントより小さいということだけだ。地政学上の緊張についてメディアが報じる頻度と、実際に世界大戦が起きる確率とは、なんの関係もない。

それなのに私たちは——複雑な質問の場合は特に——すぐに自分の立場を決めたがる。

そしてそのあとになってようやく頭で理性的に考え、自分の立場を裏づける理由を探しだす。この思考過程は心理学で**「感情ヒューリスティック」**と呼ばれている。

直感による答えの判断は非常に速く、単純だ。一面的で、ポジティブかネガティブか、「好き」か「嫌い」かの二択しかない。

たとえていえばこんな感じだ。誰かの顔を見たとする――「好き」。どこかで殺人事件があったらしい――「嫌い」。週末はよい天気になるようだ――「好き」。雨――「嫌い」。

こうした直感はほとんどの場合正しいのだが、複雑な質問の場合には、直感的に正しい答えを出せるものではない。ところが私たちはそれを正しい答えと勘違いしてしまう。

ニュースはまさに、不要な感情を生じさせるためにつくられている。なんの感情もなくニュースを消費するのは不可能とさえいっていい。だから、ニュースにはかかわらないのが一番なのだ。

意見というのは「鼻」のようなもの

要は、「何に対しても意見を持たなくてはならない」と考えるのが大きな間違いで、あなたの意見の九〇パーセントは不要なのである。

それなのに、ニュースを消費するとひっきりなしに意見をつくり出すよう急き立てられて、私たちは「心の平静」と「集中力」を奪われる。

周知のように、意見というのは鼻のようなものだ――誰でもひとつは持っている。ところがニュースを消費すると、あなたの顔は鼻だらけになってしまう。

次に何かのテーマに対して口を出したくなったときには、その顔を想像するといい。あるいは少し洗練された方法をとって、おそらく史上最高の政治家である、第一六代ローマ皇帝のマルクス・アウレリウス・アントニヌスをまねてもいいかもしれない。

この賢帝は、二〇〇〇年近くも前にまったく同じことを推奨している。「あなたには、あれやこれやに対して意見を持たない自由も、そうすることによってあなたの心を波立たせない自由もある。その性質上、ものごとが自ら私たちに判断を強いることはないのだから」。

▼重要なポイント

あなたの意見の九〇パーセントは不要だ。無駄に意見を持とうとせず、あなたの「意見の火山」をニュースでさらに活性化させるのもやめておこう。真の自由とは、特定のテーマに対して意見を持たずにすむことだ。「意見を述べる自由」の前に、「意見を持たない自由」があってもいいはずだ。「意見を持たない自由」を高く掲げよう！

18 ニュースは「思考」を妨げる

人間の「意志力」はクリックの誘惑に勝てない

ものを考えるには「集中力」がいる。そして集中するには、「誰にも邪魔されない時間」がいる。だが慌ただしいニュースの流れに触れると、そのとたんにあなたの集中力は押し流されてしまう。ニュースを消費すると、あなたは浅薄な思考しかできなくなる。それだけではない。ニュースはあなたの「記憶」にまで害を及ぼす。

記憶には、**「長期記憶」**と**「ワーキングメモリ」**のふたつの種類がある。永続的な記憶の貯蔵庫である長期記憶は容量が大きいのに対して、必要な情報を一時的に保持するワーキングメモリが記憶できる容量はかなり限られている（試しに一〇桁の電話番号を一度だけ聞いて、復唱してみるといい）。

脳のなかで情報がワーキングメモリから長期記憶に移行するには、非常に細い道を通らなくてはならない。あなたが理解し定着させたいと思う情報はすべて、この地点を通過する必要があるが、抽象的な情報の場合は集中しなければ移行はうまく運ばない。

ところがニュースは集中を妨げるため、ニュースを消費すると、自発的に情報の理解を阻んでしまうことになる。

あなたはたった一分過ごすためにパリに旅行したりはしないだろう。ルーブル美術館を三〇秒で走り抜けたりもしないだろう。その理由はなんだろうか？　なぜならあなたの脳が新しい印象を受け入れられるようになるには、ウォーミングアップの時間が必要だからだ。

集中して本を読むには、少なくとも一〇分は読書に時間を割く必要がある。それより短い時間では、あなたの脳は情報を表面的にしか処理できないし、その情報を保存することもできない。

試しに、自分自身にこう問いかけてみよう。「先月読んだニュースのなかで、最も重要度の高かった一〇件はどれだろう？（現在はもう報じられていないニュースのなかから選んでほしい）」。ほとんどの人は、重要なニュースを五件も挙げられない。知識として身につかないものを、あなたはなぜ消費する必要があるのだろう？

紙に印刷されたニュースより、もっとたちが悪いのが「ネットニュース」だ。テクノロジーに関する論考を執筆している著述家のニコラス・カーの調査によると、**記事に貼られているハイパーリンクの数が多ければ多いほど、内容の理解は弱まる**のだそうだ。

その理由はなんだろう？　なぜならあなたの脳は、**リンクがあるたびにクリックするかどうかを決めなくてはならない**からだ。絶えず何かに気を逸らされているようなものだ——誰かがドアをひっきりなしにノックしたり、数秒ごとに電話が鳴ったりしているみたいに。

だが、私たちの気を逸らす最大の原因になるのは、なんといっても「ネットの動画」だ。センセーショナルなスタート画面で存在をアピールするものには特に気を散らされやすい。あなたの脳はクリックを回避できるだけの意志力を動員できず、そうして貴重な数分間がまた過ぎてしまう。場合によっては数分ではすまないこともある。すぐに次のおすすめ動画が現れるからだ。そしてそれが終わるとまた次の動画が現れる。

しばらくすると、あなたは時計を見て自分にこう問いかけることになる。「どれだけ時間が経ったんだろう、それから、仕事はどこまで進んでいただろう？」。

情報の豊かさは、注意力の貧困を招く

ノーベル経済学賞を受賞したハーバート・サイモンは、すでに半世紀前にこの問題を認

識していた。「情報によって消費されるものはきわめて明らかだ。情報は、受け手の注意力を消耗させる。**情報の豊かさは、注意力の貧困を招くのだ**」。

ハーバート・サイモンの時代には、根気よくニュースを待つか（郵便受けのふたが音をたてたり、テーマ曲が夜のニュースのはじまりを告げたりするのを）、あるいはニュースを見つけるためにわざわざ自分から出かけて行かなければならなかったが（たとえば売店などへ）、アラートやショートメッセージやニュースフィードやニュースのポップアップをはじめとして、私たちの集中を妨げるものがいろいろと現れたおかげで、いまでは注意力の貧困に限りなく拍車がかかっている。

いまや私たちがニュースを見つけるのではなく、ニュースのほうが私たちを見つけにくる。私たちがどこにいようがおかまいなしに。

どうして私たちは、こうしたデジタルの誘惑にこれほど簡単に負けてしまうのだろう？なぜならメディアコンツェルンのアルゴリズムは、どんな画像や動画を使えば私たちの意志力を最も効率よく打ち負かせるかを、正確に把握しているからだ。

こうしたアルゴリズムは月を追うごとに進化するため、ニュースの消費者であるあなたの状況は月を追うごとに不利になる。ニュースサイトにアクセスするたびに、あなたは意志の力で誘惑に抗わなくてはならないが、負けるのはたいていあなたの意志力のほうだ。

あなたはなぜ、自分の脳をそうした不公正で過酷な闘いに送り込もうとするのだろう？闘っても、得られるものは何もないというのに。

やり遂げる「意志力」を確保する方法

それどころか、実際にはもっとひどいことが起きている。得られるものがないだけでなく、あなたが失っているものはほかにもある。「集中力」だけでなく、もっと価値あるものに使うべき「意志力」まで失っているのだ。

アメリカの心理学教授であるロイ・バウマイスターは、**「意志力」は短期的には筋肉のように機能する**ことを証明している。

マラソンを走り終えると、その後、世界をテニスボールのように跳ねて回れるだけの力は残らない。使い切ってしまったＡＴＰ（アデノシン三リン酸）を、つまり、筋肉を動かすためのエネルギー源を、まずは補充する必要があるからだ。

意志力の場合も同様で、バウマイスターはこの作用を**「意志力の枯渇」**と呼んでいる。ひとたび意志力が枯渇すると、次の課題で必要とされるスキルや決断力を発揮できるだけの意志力はなくなってしまう。そのため、仕事がある日に多くのニュースを消費すると、どれだけの時間を無駄にしたかとは関係なしに不満足な成果しかあげられない。何かをやり遂げられるだけの意志力が残されていないからだ。

どのみち負ける闘いなら、理にかなった戦術はひとつしかない。はじめから戦場に足を踏み入れなければいいのだ。ニュースサイトにアクセスするのを完全にやめればいい。

それに、無意味なニュースや広告を受け取るのと引き換えに、あなたの貴重な人生の時間や、個人データや、いま必要とされている意志力を、なぜニュースメディアに差し出さなくてはならないのだろう？　想像を絶するほどお粗末な取引だ！

ニュースは精神における環境汚染だ。脳をきれいに保とう。あなたの体の最も大事な器官だ。

▼重要なポイント

ものを考えるには「集中力」がいる。ところがニュースは、できるだけあなたの気を散らすようにつくられている。そうでなければビジネスモデルが成り立たないからだ。ひとたびニュースサイトにアクセスすると、あなたは意志の力でさまざまな誘惑と闘わなくてはならないが、たいてい、負けるのはあなたの意志力のほうだ。そうした過酷な闘いに足を踏み入れるのはやめておこう。あなたに勝ち目はない。

19 ニュースは私たちの脳を「変化」させる

タクシー運転手になると「脳の構造」は変化する

あなたの脳はおよそ八七〇億個の神経細胞からできていて、それらは一〇〇兆を超えるシナプスで互いに結ばれている。研究者のあいだでは長年にわたって、私たちが成人年齢に達するころには、脳は完全にでき上がっていると考えられていた。

しかし今日（こんにち）では、脳は絶えず変化していることが明らかになっている。神経細胞は定期的に古い接続を断ち、新しい接続を構築している（もっと正確に言うと、シナプスの受容体が感受性を変化させている）。

たとえばニュースの氾濫のような新しい文化的な現象にさらされると、私たちの思考装置は改編される。文字どおりの〝洗脳〟である。実際に、生物学的なレベルでニュースの洪水への適合が行われる。ニュースは脳の配線を変化させるのだ。

その結果、ニュースを消費していないときでも、私たちの脳は異なる働き方をするようになる。異なるというのは——あなたもうすうす気づいているだろうが——、よい働き方をするようになるという意味ではない。

ロンドンの見習いタクシー運転手は、タクシーの免許を取るために非常に多くの知識を詰め込まなくてはならない。ロンドンには二万五〇〇〇本もの通りと無数の観光名所があるが、タクシー運転手は伝統的にそれらを余すところなく知っていなければならないことになっている。

当然、ロンドンでタクシーの運転手になるには三年から四年の研修期間が必要になる。大都市の全体図を脳に保存するには、それだけの長い時間がかかるのだ。

おそらくこうした暗記型のタクシー運転手の研修も、グーグルマップなどのおかげでまもなく時代遅れになるのだろう。だがそうなる前に、ロンドン大学の研究者であるエレナー・マグアイアとキャサリン・ウーレット、ヒューゴ・スピアーズが、この研修を対象にすでに実験を行っている。

彼らは、タクシー運転手の脳にある道に関する知識を、どうにかして観察することはできないだろうかと考えた。**「タクシーの運転手になると、脳の構造は変化するのだろうか？」**という疑問を持ったのだ。

彼らは「見習いのタクシー運転手」と、比較対象グループとして選んだ「バスの運転手

（常に決まったルートを走るバスの運転手は、二万五〇〇〇本もの通りを覚える必要がないため）」を対象に、折に触れて磁気共鳴画像法（ＭＲＩ）検査を行った。

検査をはじめた当初、両グループの脳に差は見られなかった。だが数年後、タクシー運転手が免許を取得するころになると、脳の海馬（長期記憶の形成に重要な役割を果たす領域）の構造に変化が認められるようになった。**タクシー運転手の海馬の神経細胞は、バスの運転手よりもずっと発達していた**のだ。

脳の構造の違いは、ときが経つにつれてどんどん大きくなった。しかしタクシー運転手は、「頭のなかの道路地図」に関しては秀でていたものの、幾何学的な図を新たに覚えるのは苦手だった。一方で、バスの運転手のほうは、新たな図を覚えることに支障は感じないようだった。つまり、**脳のある領域が発達すると、それにともなって別の領域は退化するらしい**のだ。

同じような脳の構造の変化は、音楽家やジャグラーや多言語環境で育った人にも認められるという。

「長い文章」が読めなくなってしまう人の特徴

メディア消費と脳の関連については、研究者のケプ＝キー・ローと、神経科学者でもある、ＡＩ企業「アラヤ」の金井良太ＣＥＯが次のようなことを突き止めている。**複数のメディアを同時に消費する頻度の高い人ほど、前帯状皮質の脳細胞の数は少なくなる**のだという。

前帯状皮質というのは、注意力や倫理的な思考、衝動のコントロールなどをつかさどる脳の部位だ。実際、ニュース中毒者にはその影響が見てとれる。集中力が低下し、感情を制御するのにも苦労している様子が見受けられる。

読者のみなさん、あなたがニュースを消費すればするほど、あなたは情報にすばやく目を通せるようになるように、マルチタスクをこなせるようになるように、自分の神経細胞の回路をトレーニングしていることになるのだ。

しかしそれにともない、深く掘り下げた内容の本を読んだり、深遠な思考をしたりするのに必要な回路は退化してしまう。

私は何度も気づいたことがあるのだが、ニュースを熱心に消費している人の大多数は――たとえかつては大の読書家だったとしても――、長文記事や本を読むことができなくなっている。四、五ページも読むと疲れてしまい、注意力が落ちてそわそわしだすのだ。

原因は、年齢を重ねたからでも、昔より多忙になったからでもない。**彼らの脳の生理的な構造が変化してしまったのだ。**

カリフォルニア大学サンフランシスコ校の研究者であるマイケル・マーゼニヒは、このことをこんなふうに表現している。「私たちは、くだらないものに注意が向くように、自分たちの脳をトレーニングしているのだ」。

本の虫でないあなたは、読書能力をなくしてもなんとかなると思うかもしれない。しかし、深く掘り下げた内容の本を読むことが、明晰な思考と密接な関係にあることは明白な事実だ。集中し、ひとつのテーマを追求する能力をあなたが取り戻したいと思うなら、ニュースなしの精神的なダイエットを避けて通るわけにはいかない。

私の経験から言うと、脳の構造がもとどおりになり、疲れを感じずに長い文章を受け入れられるようになるには、約一年はニュースを断つ必要がある。早めにニュースを排除すればするほど、その地点に到達するのも早くなる。

最初がつらいからといって、あきらめてはならない。価値あることをはじめるときは、常につらく感じるものだ。

▼重要なポイント

ニュースを消費すると、脳の生理的な構造が徐々に変化する。短い情報にざっと目を通すときに必要な脳の領域を鍛えることになる。そしてそれにともない、長い文章を読むことや、思考をつかさどる回路は退化する。あなたはもう一度、疲れを感じずに本や長文記事が読めるようになりたいだろうか？　だったら、ニュースを消費するのはいますぐにやめておくことだ！

20

ニュースは「虚偽の名声」をつくる

メディアがつくり出した「有名人」という人たち

社会を機能させるには、人間同士協力し合わなくてはならない。その際、協力相手としての人々の資質を伝えるシグナルの役割を果たすのが、人の「評判」だ。しかし残念ながらこのシグナルは、ニュースの発達したいまの世界においてはあてにならなくなった。

進化の過程では、「名声」はその人の業績や権力と直結していた。野生動物を自らの手でしとめた者や人の命を救った者、巧みに火をおこせる者はそれに応じた名声を得ていた（能力による名声）。巧妙な駆け引きと組織づくりで集団トップの座を維持しつづける族長も、その地位に応じた名声を得ていた（権力による名声）。

石器時代が終わってかなり時代が下ってからも、業績や権力と名声は、切っても切れない関係にあった。

アリストテレスも、サッポー［古代ギリシャの詩人］も、アウグスティヌス［古代キリスト教の神学者」も、ベートーベンも、ニュートンも、ダーウィンも、マリー・キュリーも、アインシュタインも——彼らは全員、能力によって名声を得ていた。皇帝や国王、教皇には、権力によって名声が与えられていた。マルクス・アウレリウス・アントニヌスは、能力と権力の両方によって名声を獲得していた。

　ところがニュースの登場によって、それまでは聞いたこともなかった奇妙な人たちが突然あちこちに出没するようになった。社会にも、私たち個人の生活にもまったく意味のない理由で世間に知られるようになった、「有名人」という人たちである。取るに足らない理由から、トークショーの司会者やスポーツキャスターやスーパーモデルやポップスターなどに「有名人」の称号を授けるメディアのおかげで、今日（こんにち）では名声と業績のつながりは徐々に破壊されつつあり、結果として、「虚偽の名声」がつくり出されている。

　有名人であることは、たとえて言えば自己言及［発話の主体が自己について言及すること］システムのようなものだ。有名人は、有名だから有名人なのだ。どのようにして彼あるいは彼女が有名になったかはたちまち忘れられ、ニュースサーカスのなかではたいして意味を持たなくなる。メディアは、その人物が単に有名だからという理由で有名人について報道する。ニュースメディアが登場する以前に能力や業績とは関係なく名声を得た人物の名前を挙げるのは、ほぼ不可能だ。せいぜい犯罪者の名前がいくつか挙がる程度だろう。

なぜ、偉業を成し遂げた人が正しく報道されないのか?

ドナルド・ヘンダーソンという人について聞いたことはあるだろうか? ＷＨＯ（世界保健機関）で、天然痘を根絶したチームを率いた人物だ。

天然痘は、強い感染率と高い致死率という恐ろしい組み合わせから、数千年ものあいだ最も危険な感染症のひとつと見なされていた。しかしヘンダーソンの指揮のもと、ワクチンの接種と徹底的な撲滅計画が進められ、不可能と思われていたことが現実になった。天然痘が根絶されたのだ。

命にかかわる伝染病が完全に根絶された唯一の例であり、医学史における最も偉大な勝利のひとつでもある。

ヘンダーソンにはあり余るほどの名誉が与えられた。一九八六年にはアメリカ国家科学賞が、二〇〇二年には、アメリカ最高位の勲章である大統領自由勲章が授与された。

ヘンダーソンは、メディアの目の届かないところに隠遁(いんとん)していたわけでもない。その逆だ。伝染病を根絶したあとは、世界でもトップクラスの医科大学のひとつであるジョンズ・ホプキンス大学の学部長や、アメリカ政府の高位のアドバイザーを務めていた。
それなのに、彼の名前をニュースメディアで目にすることはほとんどなかった。その理由はなんだろう？

ニュースメディアの関心の的は、「有名人」にあるからだ。ヘンダーソンには業績しかなかった。奇抜な髪型をしていたわけでも、弁が立ったわけでも、洗練されたブランドもののスーツを着ていたわけでもない。

そうした理由から――感染症のようなテーマに取り組むのは骨が折れるからというのもあっただろうが――メディアはヘンダーソンに興味を示さなかったのだ。

「有名人」という存在自体が悪いわけではない。ただ残念なことに、彼らは**本当に価値あることを成し遂げた人たちを、メディアの関心から排除してしまう**（こうした現象は「クラウディング・アウト＝駆逐」と呼ばれている）。新聞のページやテレビ番組やブログやツイッターが有名人に関することで溢れれば溢れるほど、ヘンダーソンのような人たちについて報じるための余地はなくなってしまうのだ。

ニュースメディアは名声と業績のつながりを断ち切ってしまった。ニュースを消費すると、あなたは偽の情報をまき散らす「フェイクニュース」だけでなく、「虚偽の名声（フェイクフェーム）」にまで屈することになる。そのような事態は避けなくてはならない。それによって社会にまで害が及ぶのは、もっと避けなくてはならない。

▼重要なポイント

「虚偽の名声」は「フェイクニュース」と同じくらいたちが悪い。ニュースを消費すると、あなたは「虚偽の名声」を与えられるのをあおることになる。そうなると、あなた個人が害を被るだけでなく、社会にまで悪影響を及ぼしてしまう。「虚偽の名声」は、本当に価値ある何かを成し遂げた人たちを、私たちが気づける範囲から排除してしまうからだ。ニュースを断てば、あなたの脳はようやくまた、本当に偉大なことを成し遂げた人たちを認識できるようになる。

21

ニュースは私たちを実際よりも「卑小な存在」に感じさせる

私たちはみな「ヒエラルキー」のなかで生きている

ものを書くことを生業としている私は、自分が作家としてのヒエラルキーのどこに位置しているかを、常に正確に把握することができる。

週ごとに更新されるベストセラーリスト。読者が星の数で本を評価するウェブサイトの数々。受賞者を頂点としてピラミッド形に広がる文学賞のショートリストやロングリスト。ドイツの政治月刊誌『ツィツェロ』が発表する知識人の格付けリスト。アマゾンの目下の売れ筋ランキング。賞賛されることもあれば酷評されることもあるオンライン書評。ソーシャルメディアの「いいね！」の数やフォロワー数。

作家としての地位の変化を、私は毎秒はっきりと目で追うことができる。こうした過度な比較に耐えられないようなら、私は職業の選択を間違えたことになる。

まあ確かに、ヒエラルキーの透明性という点では、作家という職業は極端な例かもしれない。それに、私はそのことについて愚痴を並べたいわけでもない。ここで私が指摘しようとしているのは、**職業に従事している人は、誰もがヒエラルキーのなかで生きている**ということだ——建築家も、建設会社の経営者も、保険業者も、銀行員も、料理人も。

そしてほとんどの人は、自分の地位の変化にきわめて敏感に反応する。その理由はなんだろう?

私たち人類は、約四〇〇〇種いる哺乳類のなかの一種だ。この事実は、私たちの精神に深い影響を及ぼしている。

次世代の育成には大いにコストがかかる。子どもが母体のなかにいるあいだ、母親は子どものためにたくさんのエネルギーを費やさなくてはならない。生まれたあとも、ほとんどの哺乳類は、親に保護され、食物を与えられ、生きる手ほどきを受けなければ生き延びることはできない。

妊娠期間と授乳期間は、ほかにもっと優秀なオスがいたとしても、母親はそのオスとつがいになることはできない。メスにとっては重大な機会費用［ほかの選択をしていれば得られたはずの利益］の損失だ。そのため哺乳類のメスは、きわめて慎重につがいになる相手を決める。主な基準は、生きる糧を確保できるかどうかだ。

ホモ・サピエンスを含め、哺乳類のどの動物にも共通して言えることだが、地位は高いほうが生きる糧を確保しやすい。端的に言ってしまえば、そうした理由から女性は地位の高い男性を求める。この選択の大部分は無意識のうちに行われるが、そうした決定を下すために進化の過程で発明されたのが、「恋をする」というメカニズムだ。

女性が地位を好むのに対して、男性には潜在的な出世欲がある。そして女性は遺伝子の半分を父親から受け継いでいるため、そうした出世欲は女性にも根づいている。さらに女性は、自分なりの地位のピラミッドまで構築する——若さや美しさといった、おなじみの基準をもとにして。

そうして私たちは、**何ごとにおいてもヒエラルキーを形成する**。職業や軍隊においても、教会でも、スポーツや近所づきあいにおいても、子どもの遊び場でも。私たちはこうしたヒエラルキーから逃れることはできない。ただそうは言っても、あなたはひょっとしたらこんなふうに思うかもしれない。「だから何？」と。

しかし地位の変化で影響を受けるのは、私たちの感情だけではない。ロンドン大学の教授であるマイケル・マーモットは、**社会的地位の低い人ほど病気になりやすく、うつを患う頻度も高く、寿命も短い**ことを証明している。地位は、体にも大きな影響を及ぼすのだ。

「長者番付」がストレスを与えるのはどうしてか

だが、そうしたことがニュースとなんの関係があるというのだろう？　簡単だ。容姿に恵まれた人や成功者についてさかんに報じることで、ニュースは**ただでさえ容赦ない自然のヒエラルキーをさらに残酷なものにしてしまう**。まるで拡大鏡のように作用するのだ。年に一度、長者番付が発表される日は（スイスには『ビランツ』誌が作成する上位三〇〇人のリストがあるし、ドイツでは『マネージャー・マガジン』誌が最も裕福なドイツ人のリストを、アメリカの『フォーブス』誌は「グローバル二〇〇〇」という世界の企業ランキングを発表している）、〝普通の〟資産家たちにとっては愉快な日でないだろう。ましてや私たちのような資産家でない人間にとって、そうした番付が愉快であるはずがない。「最優秀経営者賞」「最優秀企業家賞」「最優秀スポーツ選手」「最優秀マーケティング賞」「最優秀芸術家賞」「最優秀アーティスト賞」「最優秀造園賞」などの馬鹿げた祭典も、〝普通の〟経営者や企業家やスポーツ選手などにとっては、無意識下で有害なストレスホルモンを体に溢れさせるシグナルとなる。

同様に、若く美しいモデルが何人も立ち並んでいるさまも、〝普通の〟女性たちの胸にチクリとした痛みを覚えさせるに違いない。ニュースは心身ともにネガティブな作用をもたらすのである。

その一方でメディアは、運の悪い人や失敗者、容姿に恵まれなかった人、サイコパス、挫折者など、ベルカーブ［データの平均値付近が一番高く、平均から離れるにつれて低くなっていく左右対称の釣鐘形の曲線］の逆側にある極端な例についても報道する。

私たち〝普通の〟人間は、自分よりも不遇な立場の人がいることを知らせてくれるこの種の報道に対して、ひそかに歓声を上げるべきなのだろうか？　とんでもない。なぜなら心理的には、悪いことはよいことよりも二倍強く感じられるからだ。

極端に不遇な立場にいる人と比べれば自分の地位は上がったように思えるが（よいこと）、ビル・ゲイツやシャーリーズ・セロンと比べると、自分の地位はその倍、下がったように感じられる（悪いこと）。つまり、ニュースの消費が私たちの心に与える正味の影響はマイナスなのだ。

結論。**ニュースを消費すると、競争相手の範囲は全世界に拡大する**。私たちは自分を、自分とはなんの関係もない人たちと、本当にまったく関係のない人たちと比較するようになる。その結果、私たちは自分を実際よりも「卑小な存在」に感じてしまう。

もちろん、そうした感情に理性で立ち向かうこともできないわけではないが、やめておいたほうがいいだろう。感情が生じたことによって、すでに体やホルモンは変化してしまっているからだ。

ストレスレベルが上昇し、セロトニン〔心のバランスを整えるホルモン〕レベルは低下する。私たちはうなだれ、打ちひしがれて過ごさなくてはならなくなる。ただでさえ困難な人生を、もっと困難なものにしてしまうのだ。いますぐに距離を置いたほうがいい――ニュースを消費するという馬鹿げた行為からも、馬鹿げた地位争いからも。

▼重要なポイント

私たちは身近なヒエラルキーのなかで生きている。自分がそのどこに位置しているかによって、排出されるホルモンも、私たちの感情も変化する。トップにいれば快適だが、真んなかあたりになると快適さは減少し、最下層にいる人は誰もがつらい思いをしなくてはならない。

ニュースは身近なヒエラルキーの上から世界規模のヒエラルキーを覆いかぶせ、私たちの地位を大きく下げる。私たちのホルモンバランスも感情も、そのことによってネガティブな影響を受ける。あなたにふたつ目のヒエラルキーは必要ない。ニュースを断てば、不要なヒエラルキーから逃れることができる。

22

ニュースは私たちを「受け身」にする

なぜ、「学習性無力感」に陥ってしまうのか？

ニュースで報じられるのは、大半があなたには影響を及ぼせないことばかりだ。テロリストがどこかで爆弾を爆破させるかどうかも、アイスランドの火山が噴火するかどうかも、サハラで一〇万人の命が飢えによって奪われることになるかどうかも、アメリカ大統領が馬鹿げたツイートをすることも、流入する避難民の数が増えることも、アップルが新しいモデルからヘッドフォンのイヤホンジャックを廃止することも、フォルクスワーゲンが排ガス検査で不正を行うことも、ブラッド・ピットがアンジェリーナ・ジョリーと離婚したことも、このどれもがあなたのコントロール外にある。ニュースで耳にすることで、あなたが影響を及ぼせることは皆無に近い。

自分たちにはどうしようもないことについて連日聞かされてばかりいると、私たちは「受け身」になる。ニュースに気力を奪われた結果、ふさぎ込みがちになり、絶望し、悲観的なものの見方をするようになるからだ。

もちろん、私たちだって手助けはしたい。問題に介入して、少しでもいいから世界を望ましい状態に戻したい。しかし、残念ながらそれはできない。まずは家族を養わなくてはならないし、そうできるだけの時間的な余裕もない。

それに、一体どうすれば地球の反対側にある火山の噴火を止めたり、テロリストから爆弾を奪ったり、人々を飢餓から救ったりできるというのだろう？　私たちは自分には何もできないことを知りながら、悲劇的な画像を消費するよりほかないのだ。

自分ではコントロールできない曖昧な情報に脳が出くわすと、私たちは時間とともに犠牲者の役割を受け入れるようになる。行動を起こそうとする意欲が失われ、受け身になってしまうのだ。この現象は、学術的には**「学習性無力感」**と呼ばれている。

「学習性無力感」は、一九六〇年代にアメリカ人の心理学者、マーティン・セリグマンとスティーブン・マイヤーによって発見された。

最初は、動物による実験が行われた。ねずみのしっぽの先に針金をくくりつけ、それを通して、痛くはあっても「不快」とだけ感じる程度の電気ショックがねずみに与えられた。

ひとつ目のグループのねずみは、輪を回せば電気ショックを止めることができた（つまりねずみたちは、状況をコントロールすることができた）。だがふたつ目のグループでは輪を回しても何も起こらず、ねずみは電気ショックを受け入れるしかなかった。

するとどちらのグループのねずみも受けた刺激は同一（電気ショックの強さも頻度も同じ）だったにもかかわらず、連続してショックを与えたあとに見せた行動はまったく異なっていた。

ひとつ目のグループのねずみには、特に変わった様子は見られなかった。何ごともなかったかのように、ねずみたちは自由に動き回っていた。

それに対してふたつ目のグループのねずみは、明らかに性質が変化していた。このグループのねずみたちは臆病で受け身になり、性衝動が低下し、無快感症（よろこびを感じられなくなる状態）の徴候や、新しいものに対する嫌悪や、曖昧なものに対する恐怖を示した。

私たち人間がニュースで受けるショックは、ふたつ目のグループのねずみが受けた電気ショックと少し似ている。ニュースの内容や画像は私たちの感情をかき乱すが、私たちに回せる〝輪〟はない。最も賢明なのはもちろん、流れ込んでくるニュースを完全に止めることなのだが、そうするには、私たちのほとんどは弱りすぎてしまっている。

「自分が影響を及ぼせること」にエネルギーを注ぐ

たちの悪いことに、「学習性無力感」によって私たちが受け身になるのは、ニュースのテーマに対してだけではない。「学習性無力感」は私たちの人生のすべての領域に溢れ出す。

ひとたびニュースによって受け身になると、私たちは家族や仕事に対しても受け身の姿勢をとるようになる。**自分で状況をコントロールできる余地がじゅうぶんにあるときでさえ、行動を起こさなくなってしまう**のだ。

確証があるわけではないが、ニュースの消費が文明病であるうつ病を発症させる一因になっていたとしても、私は驚かない。時間的に考察すれば、うつ病が蔓延しだした時期とニュースが氾濫しだした時期は見事に一致する。

イギリス人のメディア研究者であるジョディ・ジャクソンも、類似のこんな見解を示している。「ニュースを消費すると、未解決の問題や、解決される見込みの少ない問題に私たちは絶えず直面することになる」。ニュースを消費すると、うつ状態に陥るのも無理はないのだ――ニュースで扱われるのは、解決できないことが歴然としている問題がほとんどなのだから。

二〇〇〇年前の偉大な哲学者、エピクテトスの『提要』の最初の文にはこう記されている。「若干のことは私たちがコントロールできる範囲にあるが、それ以外は私たちのコントロール外にある」。要は、**自分のコントロール外にあることについてあれこれ考えるの**

は馬鹿げているということだ。

私たちがニュースで耳にするのは、ほぼどれもが私たちには影響を及ぼせないことばかりだ。だから、ニュースはあっさりと無視してしまってかまわないのである。

私からのアドバイスは次のとおりだ。あなたが影響を及ぼせることにエネルギーを注ぐようにしよう。それだけでもじゅうぶんすぎるくらいのことがあるはずだ。だが、地球の反対側で起きた地震は対象外だ。

▼重要なポイント

ニュースで報じられることの九九パーセントは、あなたには影響を及ぼせない。そのことが、あなたを「学習性無力感」と呼ばれる心理的な穴に落とし込む——あなたの人生のすべての領域に広がる、ある種の軽いうつ状態に陥ってしまうのだ。

ニュースの蛇口を締め、あなたがコントロールできる範囲にある自分の人生の要素に注意を向けて、その穴から這（は）い出そう。そうすればあなたの人生は一挙に平穏になり、あなたはいまよりも幸せを感じられるようになる。

23 ニュースは「ジャーナリスト」によって書かれている

「よいジャーナリスト」と「たちの悪いジャーナリスト」の違い

よいジャーナリストは時間をかけて記事を書く。事実の裏づけを取り、複雑な状況を描き出し、ものごとをじっくり考えようと努力する。

しかしほかのあらゆる職業同様、ジャーナリズムの世界にも、最高の成果をあげるには意欲や才能の足りない、あまり出来のよくない者がいる。

あるいは——ひょっとしたらこれが一番多いパターンかもしれないが——じゅうぶんな時間がとれずに、最高の成果をあげることのできない者がいる。メディアを消費する側のあなたには、欠けているものがなんなのか判別できない。どれが欠けていても、記事はほぼ同じような出来になるからだ。

ほかのライターたちの文章を寄せ集めてニュースをつくったり、使い古された決まり文句を並べたり、きちんとした調べものをせずに、インターネットのどこかで見つけた表面的な思考や情報を鵜呑みにしたりしてしまうジャーナリストは大勢いる。なかにはプレスリリースをそのまま書き写したり、古い記事を、それ以降に起きた変化を考慮せずに引き合いに出したりする者もいる。

そうしたジャーナリストのほとんどに欠けているのは、いわゆる「成果を得るための投資」だ——つまり、彼らは自分でリスクを負おうとしないのだ。

どこかのジャーナリストが書いたくだらない記事を引用したところで、その内容の責任が自分に降りかかってくることはない。時折、読者から苦情が寄せられる程度だろう。内容がひどく間違っていたときには編集長から叱責を受けるかもしれないが、たいていの場合は何も起こらない。書いたことは新しく舞い込んでくるニュースの数々にあっさりと追いやられてしまうからだ。

投資家や企業家などとは対照的だ。投資家は、決断を誤ったときには自分の銀行口座でそれをじかに感じるし、企業家は、戦術が失敗すればただちにその結果と向き合わなければならない。

しかしたちの悪いジャーナリストだけが、ジャーナリズムの質の悪さの原因ではない。私の友人や知り合いのなかには多くのジャーナリストや編集者や編集長がいるが、彼らは私の交友関係のなかでも、最も優秀な部類に属する人たちだ。非常に知的でじゅうぶんな教養があり、天分豊かな書き手でもある。それに彼らのほとんどは、いまよりも公平な世界をつくるという道義的な理由から職業を選んでいる。

問題はこのすばらしい人たちが、図らずも、どんどん意味の失われつつあるジャンルに捕らわれてしまっているということだ。

ニュースを巧みに伝えることに、もはや意味などなくなってしまった。そのことに気づいているジャーナリストも大勢いるが、彼らは公にはけっしてそれを認めようとしない。知的な頭脳の持ち主である彼らのほとんどは、調査にもとづいた記事を書くために時間を割くことができない。調査のための時間もなければ、考える時間もない。複雑な問題について詳述できるだけのスペースもない。

勝つことのできないシステムに捕らわれている

ミレニアム以降、ジャーナリストたちに降りかかるプレッシャーは計り知れないほど増加している。多くのメディア企業はジャーナリストたちに、一日に最高一ダースのニュースを生産するよう命じている――クリック数や「いいね！」の数を増やすために。これでは、質のよいジャーナリズムが生まれるはずがない。

ひとつのテーマについて、内容豊かな何かを書くのはとてつもなく難しい。ましてや一

○とおりもの異なるテーマについて充実した何かを書くなど、到底不可能だ。それなのに、まさにこの無理難題がジャーナリストに求められている。コストがかかりすぎるため、専門家に執筆依頼をすることはできない。彼らの仕事の仕方は、そのため、常に表面的にならざるを得ないのだ。

ニュースの馬鹿騒ぎで感覚の麻痺した消費者はめったに気づかないが、ジャーナリスト自身はもちろんこのことに気づいていないわけがない。自分たちがいかさま師であることがばれるのでは、という不安は業界中に蔓延している。そのことが原因でうつになったり、偏屈になったり、その両方になったりするジャーナリストもいる。

数年も経つとほとんどの人が、逆サイドにまわって企業の広報に職を求めるようになるのも無理はない。世界を救うという目標に必ずしも貢献できるわけではないとはいえ、広報の仕事に転職すれば、ストレスは減るし、所得は増えるし、規則的な労働時間で働けるのだ。

二〇一五年にアメリカの求人検索サイト「キャリアキャスト」は、**ストレス、給与、将来の見通しという基準から、国内の二〇〇種類の職業をランク付けした。**最下位になった職業はなんだと思うだろうか？　新聞記者である――営林署員や兵士よりも順位は下だった。

しかし、ジャーナリズムをだめにしたとメディア企業を非難してはならない——非難されるべきは、彼らから広告収入を奪い、そうすることによってメディアの経営基盤をも奪ったインターネット巨大企業、グーグル、フェイスブック、アマゾンだ。

だがこれらの巨大企業が成功をおさめていられるのは、私たち消費者が彼らのプラットフォームで時間を過ごしているからだ。

現在の悲惨な状況の責任をジャーナリストに押しつけるのは、砂糖の原料であるテンサイに、私たちの不健康な食生活の責任を押しつけるようなものだ。「底辺への競争〔世界規模の経済競争によって、労働者の賃金や労働条件が最低水準に落ち込むこと〕」が起きているのは、ニュースの消費者である私たちの行動が原因なのだから。

この競争で負けない唯一の方法は、競争に参加しないことだ。読者のみなさんだけでなく、私は同じことを、ジャーナリストの友人たちにもすすめたい。自分を尊重する料理人がマクドナルドでキャリアを積もうとしないように、自分を尊重するジャーナリストは、ニュースジャーナリズムに別れを告げるべきなのだ。

▼重要なポイント

ニュースジャーナリストは、勝つことのできないシステムに捕らわれている。どれだけすばらしいジャーナリストでも（実際ほとんどのジャーナリストは優秀だ）、あまり出来のよくない記事か、せいぜい平凡な記事しか書くことができない。あなたが——そしてできればあなたの友人や知り合いも——ニュースの消費を断てば、深く掘り下げた内容の本や長文記事を著すための活動領域が開けてくるだろう。そしてそうなれば、一流のジャーナリストたちがまた、ふいにきら星のごとく輝き出すかもしれない。

24

ニュースは私たちを「操作」する

全世界で三〇〇億ドルもの収益をあげる「PR産業」

進化の過程で私たちは、対面式のコミュニケーションにおいて、馬鹿げたことやはったりや、嘘を見抜く勘を身につけた。

私たちは無意識のうちに、相手の隠された意図をあらわすヒントを読み取っている。ジェスチャーや表情から、あるいは、手が震えたり、顔が赤らんだり、体臭がしたりといった興奮の徴候などを通して、言葉によるメッセージ以外のところにあるヒントを見きわめている。

まだ小規模の集団生活を営んでいたころ、私たちはメッセージを伝えてくれる人の素性を必ずといっていいほど把握していた。情報は、膨大なメタ情報とともに私たちのもとにもたらされていた。

中世になってからも、メッセージは口頭で伝えられる場合がほとんどだった（当時はまだ〝郵便局〟と呼ばれる組織はなかった）。人々はメッセージを伝えてくれる人のことを知っていたため、持ち込まれた情報の信頼性をかなり正確に見積もることができた。

しかし今日（こんにち）では、事実に即した客観的な情報と、発信者の思惑を含む情報を見わけるのは非常に困難になっている。

ＰＲはいまや巨大産業だ。**「アメリカでは、どの記者の背後にも四人以上のＰＲ担当者がいる」**とメディア企業家のクレイ・Ａ・ジョンソンは書いている。

パブリック・リレーションズ産業は、全世界で一年間に一五〇億ドルから三〇〇億ドルもの収益をあげている。ジャーナリストと消費者が、いかに彼らの思うように操られ、彼らに影響され、好感を持つ対象をコントロールされているかを示す明確な証拠だ。

企業も、利益団体やそのほかの組織も、投資に見合うだけの利益がなければ、広報活動にそれだけの額を使うはずがない。ＰＲアドバイザーはジャーナリストすら――つまり職業柄、巨大組織に対して懐疑的な目を向けるのが習慣になっている人たちすら――操ることができるのだとしたら、あなたがＰＲ担当者の巧みな影響力から逃れるのはまず不可能と考えていいだろう。

ＰＲ戦略がメディアや一般の人々にいかに多大な影響を及ぼすかを示すよい例が、**看護師のナイラの証言**だ。

一九九一年にはじまった湾岸戦争に先立って、一五歳のクウェート人の少女、ナイラがアメリカ議会で証言に立った。彼女はボランティアをしていたクウェートの病院で、イラク軍兵士が何人もの新生児を殺すのを見たと主張した。

メディアはほぼこぞって彼女の話を報じ、アメリカの大衆は怒りにわれを忘れた。この証言は、議会が戦争を承認する一因にもなった。

しかし、当時全メディアが信ずるに足ると判断したナイラの証言は、時間をかけて計画された戦争プロパガンダだったことがのちに明らかになった。

インターネット上の五〇パーセント以上は〝フェイク〟

いまなら、ナイラ証言は典型的な「フェイクニュース」と呼ばれるところだろう。

プロパガンダ自体は特に目新しいものではない。印刷技術が発明され、たくさんのフルークブラット［ニュースを一枚刷りにしたビラのような印刷物］が売られるようになってから、人間はずっとフェイクニュースと闘ってきた。

すでに一〇〇年前、アメリカ人作家のアプトン・シンクレアがこんなことを書いている。

「新聞を読むときあなたが目にしているのは、真実だろうか、それともプロパガンダだろうか?」

しかしいまでは、ふたつの点が変化した。まず、フェイクニュースの数が桁違いに増えた。フルークブラットを印刷するにはいくらかコストがかかったが、フェイクニュースをネットに掲載するのにお金はほぼかからない(自分がつくったフェイクニュースが優先表示されるよう、グーグルやフェイスブックにいくらか支払う場合は別だが)。

それからいまのフェイクニュースは、消費者一人ひとりに照準を合わせてつくられるようになったため(この手法はマイクロターゲティングと呼ばれている)、以前よりもずっと大きな影響力を持つようになった。

そのうち、フェイクニュースをつくるのにもはや人間は必要とされなくなるだろう。優れたコンピュータプログラムは、もうすでに自力でニュースを書くことができる。そうして機械的に生み出されるニュースは、将来、消費者の嗜好に合わせて完璧につくられるようになるに違いない。

そうなると、どんなに批評眼のある人でも、抵抗するのはほぼ不可能になる。つくり出されるニュースが事実に即しているかどうかは二の次だ——主な目的は、クリック数を増やして広告収入を上げることなのだから。

コンピュータプログラムが作成するのは、もちろん、文章や記事や投稿やツイートだけにとどまらない。コンピュータはもうすでに画像やビデオクリップを一からつくり出している。

いまのところはまだ、慣れた人にはまがいもののニュースを見わけることができる。どこかの大統領が話をしている映像に、動作や手ぶりに合うまったく別の言葉を、よく似た声であてている動画などはそのいい例だ。だが数年も経てば、どのニュースが人工知能によるもので、どれがそうでないかを判別できるのは、当の人工知能だけになるだろう。

ニュースの世界の沼地には、ニュースがキノコのようににょきにょき生えてくる——食べられるものもあるが、毒キノコもなかにはある。本物の記事と偽りの記事を見わけるのは、今後どんどん難しくなるだろう。

そのうえ権威ある報道機関までもが、「ＰＲ記事」や「ネイティブ広告」と呼ばれるものの販売に積極的に取り組むようになっている。どちらも編集者が書いた記事のように見せかけた有料広告だ。

すでに「逆転」現象が起きていると推測している研究結果も複数ある——つまり、**インターネットにおけるコンテンツやユーザーやクリックの五〇パーセント以上は〝フェイク〟だということだ。**

それらに操られないよう最も効果的に身を守るには、ニュースの消費を完全に断つのが一番だ。それにニュースを断てば、不要な広告の大半を厄介払いできるという、うれしいおまけもついてくる。広告は、通常ニュースにともなって表示されるものだからだ。

そもそも広告というのは、私たちを操るためにある。必要のないものや、高くて手の出ないものを私たちに売りつけるのが広告の仕事だ。本当に必要なものなら、広告がなくても私たちは買っているはずだ。ニュースと同じくらい、広告は不要だ。排除しよう。

▼重要なポイント

ニュースの沼地から離れよう。そこは、いい加減な〝事実〟や極端な意見や、プロダクトプレイスメント［映像のなかでスポンサーの製品などをさりげなく露出させる広告手法］や、ＰＲやプロパガンダや広告で溢れかえっている。フェイクニュースをつくり出すのは、でっちあげの本（フェイクブック）を書き上げるより、はるかに簡単なのだ。

25

ニュースは「創造力」を破壊する

最初の思いつきが独創的であることはめったにない

下手な知識は私たちの「創造力」を抑え込む。数学者や作家や作曲家や企業家が、若いころに最も創造性豊かな業績をあげることが多い理由のひとつもそこにある。

若いころの思考は、人の手が加えられていない広い領域をまだ自由にさまよっているため、斬新な発想の妨げになるものも、思いついたアイディアの追求にブレーキをかけるものも存在しないのだ。

創造力に溢れたニュース中毒者を、私は誰も知らない。ニュース中毒の作家や、作曲家や、数学者や、物理学者や、経済学者や、音楽家や、デザイナーや、建築家や、画家を、私はひとりも知らない。

だがその一方で、ニュースを大量に消費していて、きわめて創造性に乏しい人なら大勢知っている。その理由はなんだろう?

あなたが取り組もうとしている疑問や問題や課題がなんであれ、「はじめに頭に浮かんでくる考え」というのは、どこかで聞いたことのあるもののどれかである場合がほとんどだ。最初の思いつきが独創的であることはめったにない。

そのため私は、自分の考えをしっかりと構築するために、**本や長文記事を読む前には必ず数分時間をとって、目の前にあるテーマについてじっくり思考する**ことにしている。

骨が折れるが、そうするだけの価値はある。なぜなら一旦読みはじめてしまうと、脳はすぐに著者の思考でいっぱいになり、独自の考えを思いつけなくなることがわかっているからだ。けれども自分の考えをまとめたあとに徐々に本の世界に浸っていけば、著者の考えを自分のそれと比較することができる。

私の考えは著者のものと一致するときもあればしないときもあるが、大事なのはそこではない。大事なのは、読書をしているあいだ、「著者と精神的な議論をかわしている」ように感じられることだ。

この戦略は本にも長文記事にも有効だが、ニュースの場合は機能しない。ニュースは、独自の考えを形成することができない
ようなつくりになっているからだ。思考をはじめる前に消化し終えてしまう。短く、強烈で、テンポが速く、極端に簡略化されているニュースは、何も考えずに消費できる条件を完璧にそなえているのだ。

〝セレンディピティ〟に出会うためのふたつのヒント

創造性を破壊するニュースの作用は、すでに考察したごくシンプルな問題ともかかわりがあるのかもしれない。第一八章で取り上げた、「集中力」の問題である。

創造力を発揮するには集中力がいる。ニュースに気を逸らされていては、新しいアイディアを思いつくことはできない。フリードリヒ・ニーチェが詩的に表現したように、「踊る星を生む」ためには、産室で心を平静に保つ必要があるのだ。

ところで、私はよくこんな反論を耳にする。自分の「能力の輪」（第九章参照）に合致する情報だけを取り入れて、そのほかのリンクに一切触れなかったら、「予想外の幸運」（気取った英語の言いまわしで言うところの〝セレンディピティ〟というやつである）とでもいうべき情報に偶然出会うチャンスもなくなってしまうではないか、というのだ。

しかし、そう考える人は偶然の力を過大評価しすぎている。胸に手をあてて考えてみよう。まったく別の分野からの情報が、あなたの「能力の輪」を強化するのに役立ったことがこれまで何度あっただろう？　皆無に近いのではないだろうか。

もちろん、ありとあらゆる分野からの情報に対してオープンでいることはできる。そして実際に、そうして得た情報のどれかから、非常に独創的なアイディアを引き出せることもあるかもしれない。

だが専門外の分野でアイディアの源泉を探し回ることに時間を費やす分、自分の「能力の輪」のなかを徹底的に調べることはできなくなる。なんといっても一日は二四時間しかないのだ。

私は次のようなことをおすすめしたい。どうしてもほかの領域で魚釣りをしたいなら、**ひと月に一度、半日時間をとって大きな書店に出かけ、できるだけ多くの分野の新刊に目を通す**ようにしよう。それらのうちの何冊かを買って、あなたの蔵書に加えてもいい。

だが、あなたのキャリアを一気に飛行高度までアップさせるための独創的なアイディアが見つかることを期待して、毎日複数のニュースサイトを見てまわるのは、絶対にやめたほうがいい。そんなふうに時間を過ごしていたら、あなたは飛行高度に達するどころか、緩慢な、だが確実な下降飛行をはじめることになる。

経験上、私がおすすめしたいことはもうひとつある。私は**定期的にほかの専門分野の人たちと会う**ようにしている。

どのみち昼食はとらなくてはならないのだし、それなら、ほかの分野の大家や研究者や専門家の人たちと食事をすれば、彼らの話を聞いて知識を増やせるいい機会にもなる。逆に私のほうからは、文筆の世界について話して聞かせることができるし、それで彼らも新たな知識を手にできる。このことについては、第三三章で詳しく取り上げる予定だ。

トップクラスの人はたいてい「専門バカ」である

ニュース中毒者は、「ニュースを消費するとまったく新しい視点が開けるのだ」と主張して、自分のふるまいを正当化しようとすることがある。だが**少し離れたところからニュース全体を眺めてみると、報じられていることはいつも同じだ。**スキャンダル、爆弾騒ぎ、俳優についてや発券銀行総裁について、国家元首同士がかわした取り決め、スポーツ選手たちが樹立した新記録、そこここで開かれている企業の記者会見、成長している産業部門と衰退しつつある産業部門、株式市場の上下、どこかで何かに対して怒りをあらわにしている人たち、そしてときどき起こる飛行機の墜落事故。「そろそろ明らかになってきた。新しいことは何もないのだ」とマックス・フリッシュはメディアについて書いている。この見立ては永遠に有効だろう。

だがこのほかにも、私がもっと頻繁に耳にする反論がある。ニュースを徹底的に排除すると、何かを逃すだけでなく、一生「専門バカ」のままになる、というのだ。

「専門バカ」が「名人」をあらわす別の言葉であることを考えれば、この指摘は正しい。本当に価値のあるものを――私たち自身にとっても社会にとっても――私たちが生み出せるのは、自分の「能力の輪」の内側でだけだ。それ以外ではそうはいかない。**自分の専門分野でトップクラスに属している人は、「名人」の域に到達した人たちだ。**

しかし取り組むテーマを何度も取り替え、あらゆる一口サイズのニュースをむさぼったからといって、さまざまな分野で業績を残したダ・ヴィンチのようになれるわけではない。「専門バカ」という誹(そし)りは免れるかもしれないが(実際にはほめ言葉なのだが)、それと引き換えにその人は、ずっと平凡なバカのままでいなくてはならなくなる。

▼重要なポイント

新しいアイディアを探しているなら、ニュースはけっして消費してはならない。アイディアの源泉にするならそれ以外のもののほうが――音楽、映画、自分なりの観察、本、長文記事などなんでもいい――、ずっと生産的だ。だが最も生産性が高いのは、自分でじっくりと考えることだ。

26

ニュースは「馬鹿げた話」を奨励する
——スタージョンの法則

あらゆるものの「九〇パーセント」はクズである

シオドア・スタージョンは、一九五〇年代から六〇年代にかけて活躍した、最も多作なアメリカ人SF作家のひとりだ。

作家として成功するにつれて、スタージョンは悪意ある言葉を投げかけられることも増えてきた。SF小説の九〇パーセントはクズだという文芸評論家の批判の矢面に立たされるようになったのだ。だがスタージョンはまったく動じず、こんなふうに答えた。**「確かにそのとおりだ。だがあらゆる出版物の九〇パーセントはクズだ。ジャンルなんて関係ない」**。彼のこの答えは、**「スタージョンの法則」**として知られるようになった。

スタージョンの法則はあらゆるものに当てはまる。もちろんニュースも例外ではない。注意を向けるに値しない内容のニュースがどれほどあるか考えてみるといい——侮蔑的なもの、話の筋道が一貫しないもの、下品なもの、不快なもの、どうでもいい内容のもの。一五分でホットドッグ一〇〇個を一気に食べて病院にかつぎ込まれ、胃の内容物をポンプでくみ出された男性。洗車機代を節約しようと車で川に突っ込み、溺死した男性。胸に歯磨き粉を塗って大きくしようとする女性。自分のハンドバッグをかみつぶした飼い犬に毒を盛った女性。定期的に通学路で大便をする警察官(失礼。だがこれらはすべて実際にあったニュースばかりだ)。

スタージョンの法則は、第七章で取り上げた「ニュースと私たちとの無関係さ」より、もっとたちが悪い。ニュースと私たちとの無関係さは、私たちの**「決断の質」**に影響を及ぼす。報道されていることは私たちとはなんの関係もないため、ニュースを消費するとよい決断をするのに役立つどころか、かえって決断の質が下がってしまうことも多い(ビジネスにおいても、プライベートにおいても)。

一方のスタージョンの法則のほうは、新聞やニュース番組やニュースポータルを、社会における「無意味な落書きが書き込まれるトイレの壁」にどんどん変化させてしまう。

「がらくた」と「そうでないもの」を区別するための考え方

本来メディアは、読者や聴取者や視聴者にとっての「無価値なものを排除するフィルター」として機能すべきなのだが、それとは逆にニュースメディアは、だんだんと「無価値なものを引き寄せる磁石」へと変わりつつある。馬鹿げた話が受け入れられ、報じられるだけでなく、奨励されてすらいる。

その種のがらくたを生産する人たちは、メディアがそれを貪欲に吸収することをわかりすぎるほどわかっているし、さらにメディアががらくたを掲載することが、馬鹿げた話を生産しようとする人をもっと増やす要因にもなっている。

「一人ひとりが、自分の脳に**がらくたの自動探知機**を取りつけておいたほうがいいだろう」とノーベル文学賞を受賞した作家のアーネスト・ヘミングウェイは、すでに半世紀前に提言している。ヘミングウェイはＳＦ作家ではなかったが、彼の希望が現実になるのは――もし現実になることがあるとしたらだが――まだまだ遠い未来のことになるだろう。

しかしだからといって、あなたが個人的にがらくた探知機を持ってはいけないということにはならない。

がらくたとそうでないものを区別するために、次のことを頭に入れておこう。

がらくたは、すべてのメディアに掲載されているわけではない。

アメリカの『ニューヨーク・タイムズ』紙、ドイツの『ディー・ツァイト』紙や『フランクフルター・アルゲマイネ・ツァイトゥング』紙、スイスの『ノイエ・チュルヒャー・

ツァイトゥング』紙といった「質のよいメディア」は、私たちとは無関係なことを伝えてはいるものの、紙面に侮蔑的な記事や極端に低俗な記事はほぼ見当たらない。『フランクフルター・アルゲマイネ・ツァイトゥング』紙を読んでも、自分のトースターとセックスをした男のニュースは見つからない。

しかし、できるだけ低レベルながらくたを、できるだけ大量にまき散らすビジネスモデルの上に成り立つメディアの数は――とりわけ無料の新聞やネットニュースメディアには――どんどん増えている。

増加の理由は、それらのメディアの経営者たちが愚鈍なユーモアを好んでいるからではない。編集者たちが例外なく単純でまぬけだからでもない。ニュースメディアの経営者も編集者も、自分たちが何をしているかはきちんとわかっている。

彼らががらくたを掲載するのは、**消費者ががらくたに夢中だからだ。**そのためニュースメディアはがらくたを受け入れ、さらにそれを報じることで、がらくたの生産を奨励してもいるのである。

大食い競争のニュースを見て軽蔑を覚えるあなたへ

スタージョンの法則が当てはまるのは、「記事の中身」についてだけではない。ニュースメディアの「報道の仕方」についても同様だ。

事実も主張もプロダクトプレイスメントも意見もすべてごちゃ混ぜに報じられているせいで、思わず流しに捨ててしまいたくなるまずいカクテルのような出来になっている。

一見硬そうなニュースに見えても、実際には、人生経験の浅い二五歳のジャーナリストが、声を限りに地政学上の状況や保健政策について非難しているだけの記事も少なからずある。こうした「怒りのジャーナリズム」は、書いているジャーナリスト自身はもとより、消費するほうにとっても時間の無駄以外の何ものでもない。

はじめてスタージョンの法則について耳にしたとき、私は大きく胸をなでおろした。人間がつくり上げたもののほとんどは、よく考え抜かれた末にできあがった、価値ある大事なものだと教え込まれて育った私は、何かに物足りなさを感じるたびに、問題があるのは私のほうなのだろうと思っていたからだ。

だが、いまではちゃんとわかっている。一五分でホットドッグ一〇〇個を一気に食べた男性に軽蔑を覚えても、私の寛大さが不足しているわけではないのだ。たとえそれが、新聞に記事として掲載されていたとしても。

この本を買ってくださったことから推測するに、あなたはきっと私同様、こういう馬鹿げたことを軽蔑する気持ちをお持ちだろう。そのことに関連して、私からひとつアドバイスがある。

この種の馬鹿げたことを、**世界から一掃しようとするのはやめたほうがいい。**

まず、そんなことをしてもうまくいかない。世界の不合理が解消される前に、あなたの正気が保てなくなる。残念ながらそれが現実だ。スタージョンの法則を意識しつつも、現状をそのまま受け入れたほうが、よい人生を送ることができる。

それからもうひとつ、私の経験上、何度もその正しさが証明されているちょっとした法則がある。価値があるかどうか判断のつかないものは――そのとおり、価値がないと思って間違いない。

▼重要なポイント

ニュースメディアはがらくたを受け入れ、さらにそれを報じることで、がらくたの生産を奨励してもいる。読者のみなさんがニュースを消費する限り、このがらくた製造機は稼働しつづける。だから、ニュースを消費するのはやめにしよう――あなた自身のために。そして、社会のためにも。

27

ニュースは私たちに「偽りの同情」を覚えさせる

「関心を持つ」とは、行動を起こすこと

ニュースは私たちに「世界はひとつ」という温かな感情を抱かせる。私たちは皆、世界市民だ。全員が同じ経験を共有しているし、互いにつながっている。地球という惑星はひとつの村だ。「ウィ・アー・ザ・ワールド」を歌いながら、私たちはライターの小さな炎を大勢の人たちと動きを合わせて左右に揺らす。何千倍にも増幅されたこうした仲間意識は、私たちをすばらしく柔らかな感情で満たしてくれる。

しかしだからといって、世界は少しもよくならない。ニュースを読んで感じる世界的な連帯感は、壮大な自己欺瞞にすぎない。

実際には、私たちはニュースを消費することでほかの人々や文化と結びついているわけではない。私たちが結びついているのは、血縁関係や愛情があったり、互いに協力し合ったり、取引をしたり、友達づき合いをしたりしているからだ。

ニュースを遠ざけているという話をするたびに、私は決まってこんな非難を受ける。

「世界の貧困層の苦しみや、戦争や残虐行為にはまったく関心がないということですか？」

私の答えは次のとおりだ。

そもそも、ニュースで取り上げられているそれらのことに関心を持つ必要はあるのだろうか？　報じられている以外にも、別の大陸やほかの惑星で起きている、もっとひどい残虐行為だってきっとあるだろうに。

そちらのほうには「関心を持つ」必要はないのだろうか？　境界線はどこで引けばいいのだろう？

メディアの報じ方は一律ではない。たとえば、自国民が亡くなった小型飛行機の墜落についてはメディアはこと細かに報じるが、同じような飛行機の墜落で亡くなった人が、仮にカムチャッカの出身だったとしたら、ほとんど取り上げられることはない。

それに、「メディアの消費を通して世界の出来事に関心を持つ」など、これ以上大きな自己欺瞞があるだろうか？

「関心を持つ」というのは、本来、なんらかの行動を起こすことを意味するものだ。瓦礫（がれき）の下から這い出てくる地震の被災者の様子を夜のニュースで眺めながら哀れみに浸る行為は、なんの助けにもならないだけでなく、嫌悪すら催させる。

地震の被災者や戦争難民や飢えに苦しむ人たちの運命が本当に気にかかるなら、お金を寄付しよう。注意を向けたり、労働力を提供したり、祈ったりするよりも、お金のほうがずっと役に立つ。

ニュースを眺めるのではなく、お金を寄付しよう

世界の惨事に注意を払っても――たとえばニュースサイトで地震の被災者の運命を追うなどして――、あなたは「被災者」に注意を向けたことにはならない。あなたが注意を向けているのはその「ニュースプラットフォームの運営者」だ。

地震の被災者はあなたの注意が向けられていることを感じないが、プラットフォームの運営者は、あなたの注意が向けられていることを、次のふたつの観点から確実に感じることができる。

まずひとつ目は、あなたの向けた注意を広告主に転売してお金を稼げるという点。ふたつ目は、あなたのデータ――あなたのユーザー行動や性格的な特徴、感情的な弱点など――をまた少し取得して、その後はさらに的をしぼった広告をあなたに浴びせられるようになるという点だ。

注意を向けても、被災者の助けにはならない。ニュースメディアを支援することになるだけだ。そのうえニュースの消費はあなた自身にも害を及ぼす。

自分の労働力を提供したとしても、あなたはまったく手助けできないか、手助けできた場合でも、貢献度は非常に限定的なレベルにとどまるだろう。

自分の手で水用のポンプを組み立てるために、サハラ砂漠まで出かけていくのはやめておこう。この善意の勘違いは**「ボランティアの浅はかな考え」**という呼び名で知られている。

あなたが自分で設置できる給水所は、一日に一か所程度だろう。けれどもあなたが普段の仕事を（つまり、あなたの「能力の輪」の内側にあることを）一日こなして、稼いだお金をアフリカに送れば、そのお金で一日に一〇〇か所は給水所ができあがる。お金を送ったほうがずっと、世界の貧しい人々の助けになるのだ。

現地に行って労働力を提供するより、いまいる場所からお金を寄付するようにしよう。

メディアは「独自の偏った基準」で報道している

ひとつ、あなたに提案がある。ニュースを断てば、あなたには一年に一か月の余分な時間が手に入る。そうしてできた時間の一部をお金に換えて（たとえば残業したり、副業をしたりするなどして）、それを寄付してはどうだろう。

寄付先は、「国境なき医師団」や「人間の土地［スイスにある世界的な児童支援団体］」などの、定評ある組織を選ぶといい。彼らはその道のスペシャリストだ。彼らは自分の「能力の輪」の内側で仕事をしているし、そのぶん、あなたのお金を有効に使ってくれるだろう。

私はよくこんな反論を耳にする。「ニュースを消費していないんじゃや、最も緊急に助けを必要としているのはどこか、わかりようがないでしょう」

だが、これも思考の誤りだ。どの惨事を報じるかを、ニュースメディアは独自の偏った基準で選別しているからだ。

彼らが伝えるのは、（a）新しく、（b）インパクトのある画像が撮れ、（c）ひとりの人の運命から記事を展開できる惨事のみだ。

いまさらパレスチナ紛争について報じるのはつまらないし、ウイルスの画像はインパクトに欠けるし、永久凍土の融解は、そこに車がはまり込んで動けなくなってでもいない限り、人々に衝撃を与えることができない。

ニュースの選別はこの三つの基準にしたがって行われているのであって、**世界で起きていることの悲惨さを客観的に評価した結果ではない**。場合によっては阻止できるかもしれない、本当に微妙な段階にあるものがニュースで取り上げられることは、ほぼあり得ないのだ。

覚えておこう。あなたの人間性は、悲惨なニュースをどのくらい消費するかで測られるわけではない。その際に覚える同情の大きさで決まるわけでもない。

私からのアドバイスは次のとおりだ。ニュースで報じられない悲惨な出来事は世界じゅうにたくさんあるということを念頭に置いて、定評ある支援団体に定期的にお金を寄付しよう。そうした組織――ニュースメディアではなく――は、どこで最も助けが必要とされているかを一番よくわかっている。いま世界のどこで争いごとが起きているかを知らないほうが、最も有意義な寄付先を厳正に選べる可能性は高くなる。

▼重要なポイント

残虐行為や惨事はいたるところで起きている。ニュースサイトで瓦礫の下から這い出てくる地震の被災者を見ると、それ自体はフェイクニュースでなくとも、あなたは「偽りの同情（フェイクコンパッション）」を感じることになる。あなたが注意を向けたところで、地震の被災者の助けには少しもならない。ニュースメディアとニュースプラットフォームの運営企業（グーグルやフェイスブックなど）を支援することになるだけだ。惨事の犠牲者はもちろん、助けるべきだ。注意を向けるのでなく、お金を寄付しよう。

28 ニュースは「テロリズム」を助長する

もし「報道機関」がなかったら、どんなことが起こるか

ゲルザウは、スイス中央部のフィアヴァルトシュテッター湖畔にある、のどかで絵のように美しい人口二〇〇〇人の小さな村だ。

この「フィアヴァルトシュテッター湖のリビエラ」（観光用パンフレットにはそう書いてある）には、おだやかな微気候［砂漠のオアシスのように、地形によって狭い地域に生じる周囲とは異なる気候］のせいで、アルプスの北側ではめったに見られないヤシの木まで生えている。

何世紀にもわたって、ゲルザウは独立した共和国だった。スイス連邦の一部になることを、この村は断固として拒否した。

三〇〇年のあいだ彼らの希望を阻もうとする者は誰もいなかったが、一七九八年にナポレオンがスイスに侵攻し、ゲルザウの独立は終わりを告げた。

しかしフランス軍が引き上げると、村は再度独立を宣言した。けれども今度の独立は四

年しかつづかなかった。ゲルザウはいまではスイスの一部だ。

ひとつ、思考実験をしてみよう。

あなたはゲルザウの住民で、再び独立を取り戻したいと考えているとする。伝統を守る義務があると思っているし、スイスの残りの地域から不公正な扱いを受けているとも感じているためだ。**「あなたの主張を聞いてもらうには、どんな方法をとればいいだろう?」**

意見を同じくする人たちとともに、タウンミーティング［スイスでは自治体が自治権を持ち、市町村が適用する法律は有権者が参加するタウンミーティングで決定される］でスイスからの独立について採決を取ることはできる。だが、誰も真面目にとりあってくれないだろうし、村の外ではもっと聞く耳を持ってもらえないだろう。

インターネットでブログを書いてもいいが、読んでくれる人はいないに違いない。PR会社と契約したところで、やはり目的の達成にはつながらない可能性が高い。

あるいは、ベルンの連邦議事堂を爆破するという方法もある。爆破現場のうしろで「ゲルザウに独立を!」と書いた巨大なプラカードを掲げれば、あなたはほんの数分で国内外の報道機関の注意を引きつけられる。もちろん、あなたの行動は即座に厳しく非難されるだろうが……議論を呼び起こすことはできるだろう。

では今度は、「報道機関がなかったら」と想像してみよう。どんなことが起きるだろうか?

爆弾が爆発する。窓ガラスが砕け散る。通行人がけがをする。爆破事件はベルンの市場や飲食店で人々の話題にのぼる。だが、あなたの主張はベルンの外にまで知れ渡ることはない。議事堂のある広場は翌日には以前と同じような状態に戻ってしまい、あなたの目的は少しも進展しないだろう。

爆発が起きる「かもしれない」ことが不安をかきたてる

テロリズムが効果を発揮するのは、メディアのおかげなのだ。テロリストの本当の武器は、「爆弾そのもの」ではなく、「爆発が起きるかもしれないという人々の不安」だ。実際の脅威は比較的わずかでも、人々が感じる脅威はとてつもなく大きい。このような離れ業が成立するのは、メディアがあればこそだ。

二〇〇一年以降、テロリストはEU域内で一年に平均五〇人を殺害している。それに対して、毎年交通事故で亡くなるEU市民の数は二万五〇〇〇人、自殺者数は六万人である。ドイツ国内だけに限定すると、数字は次のようになる。テロで命を落とす人は一年に三人（！）にも満たないのに対して、交通事故では三〇〇〇人が、自殺では一万人が亡くなっている。つまり、**テロリストに殺害されるリスクは、自ら命を絶つリスクのわずか三〇〇〇分の一**ということになる。

ところがニュースを消費するとパラドックスが起きる。リスクの大きさは、まったく逆のように感じられるのだ。

テロリストの真の目的は、人々を殺害することにあるのではない。政治的な変化を求めたり、分離主義［政治的・人種的・宗教的な少数派が大規模な集団からの分離・独立を目指すこと］運動を推進したり、現政権の評判を失墜させたりといった独自の目標を、彼らは戦略的に追求しているのだ。

だが彼らの最大の目的は、ニュースを通して、あるいは人々の反発を買うことによって、自分たちの関心事に世間の注意を向けさせることにある。

ニュース産業がなければ「テロリスト」は生まれない

スタンフォード大学の政治学者であるマーサ・クレンショーは、テロリストの行動は非常に合理的だと評している。「政府とそれに敵対する者の力の差が大きい場合、（中略）テロリズムは理にかなった行為である」。

つまり別の言い方をすれば、テロリストは実際には「無力」だということだ。彼らにとって、政治を変えられる可能性のある有効な手段は、**「不安と混乱の種をまくこと」**以外にないのだ。そして人々を不安に陥れるには、ニュースメディアの存在が必要なのである。

中世やローマ帝国の時代に、テロリズムという手段が知られていなかったのにはわけがある。当時はニュースメディアがなかったからだ。

もちろん、ニュースジャーナリズムが現れる前にも、暗殺計画や破壊工作や殺人が起きることはあった。だが当時の暗殺者の目的は、相手を肉体的に傷つけることで、意見や感情の操作をすることではなかった。

イスラエルの歴史学者、ユヴァル・ノア・ハラリはこんなふうに書いている。**「テロリストは思考をコントロールする達人である。**彼らが殺害する人数はごくわずかであるにもかかわらず、何十億人をも不安や恐怖に陥れ、そして欧州連合やアメリカといった政治のキープレーヤーを震撼させている」。

それから、こんな記述もある。「広報活動なくしては、テロ劇場の成功はあり得ない。残念ながら、メディアはその広報の役割を積極的に担いすぎている。過剰といってもいいほどテロ事件について報じることで、その脅威を法外なまでにふくらませている。テロに関する記事は、糖尿病や大気汚染に関する記事よりも売れ行きが格段にいいからだ」。

一人ひとりが徹底的なニュースダイエットを行えば、テロリズムという現象は、襲撃後の噴煙が消えていくのと同じくらいの速さで消滅するだろう。

あなたがニュースを消費しているなら、次のことを頭に入れておこう。あなたは——あなた自身にそのつもりはなくても——テロリズムを支援しているのだ。テロを止めるブレーキは、あなたの手のなかにある。

▼重要なポイント

ニュース産業がなければテロリズムは成立しない。あなたがニュースを断てば——そして同じことをするよう周りの人を説得すれば——、あなたはテロリズムの基盤を奪うことができる。

29 ニュースは「心の平穏」を破壊する

哲学者たちが考える「よい人生」の共通点

よい人生の本質をなすものとはなんだろう？ 別の訊き方をすれば——過去を振り返ったとき「上出来な人生だった」あるいは「よい人生だった」と言えるようになるには、どのような生き方をすべきなのだろう？

この根本的な問題の答えを出さない限り、あなたの人生はいつまで経ってもノンストップの難題処理マシンのままになる。別の言い方をすれば——明確な人生哲学がなくては、あなたは人生を〝浪費する〟危険が大きいということだ。

あなたがどんな人生哲学を選ぶかはさして重要ではない。重要なのは、あなたが真剣に思考をめぐらせ、ひとつを選び出すという点だ。私の人生哲学は、拙著『Think clearly』で詳しく述べた。

ひょっとしたらあなたは、私と同じような目標を持っているかもしれない。ひょっとしたら、あなたの目指すところは私とまったく違っているかもしれない。

だが、大事なのはそこではない——大事なのは、あなたが独自の人生哲学を持っていて、それを明確に意識しているということだ。

過去二五〇〇年間の哲学を——つまり、最初の哲学的思索が記録されてから現在までを——考察すると、哲学者たちのあいだに驚くべき共通点があるのがわかる。

彼らの考えるよい人生には、必ずといっていいほど**「内なる平静」**がつきものなのだ——「心の落ち着き」「内なる砦」「心の平静」あるいは「心の平穏」など、その状態はかつて、いまよりもずっと美しいさまざまな言葉で表されていた。

心を平静に保つために何より重要なのは、**ネガティブな感情を取り除くことだ**。嫉妬、怒り、自己憐憫などの有害な感情を、あなた個人の感情のレパートリーからすみやかに削除できれば、そのぶん、心の平静が訪れるのも早くなる。

ニュースは「人間の一番醜い部分」をあらわにする

しかし、それがニュースとなんの関係があるというのだろう? 簡単だ。ニュースは「心の平穏」を破壊する。

ニュースを通して伝わる慌ただしさのせいだけではない。ニュースは絶えずネガティブな感情をたきつける。不安、いら立ち、嫉妬、怒り、自己憐憫などの感情は、今日（こんにち）では主にニュースの消費によって呼び起こされる。

ネットニュースの記事の下に書き込まれるコメントを仔細（しさい）に眺めてみるといい。そこで見せつけられる憎悪は恐ろしくなるほどだ。その際、最も不快なコメントは、アルゴリズムによってすでに削除されているということも忘れてはならない。

ニュースやニュースのコメントは、人間の一番醜い部分をあらわにする。そのような負の感情の培養器と自分自身とのあいだにはエアロック〔宇宙船などに設置されている、気圧の異なる外の空間へ出入りするための、二枚の気密扉にはさまれた小部屋〕を作動させ、ニュースウイルスにひどく冒された人たちとはかかわりを持たないようにしよう。

賢明さとはなんだろう？

「賢人」と呼ぶにふさわしい男性や女性をひとり思い浮かべてみよう――たとえば、ソクラテスや孔子やブッダやキリストやマルクス・アウレリウス・アントニヌスやヒルデガルト・フォン・ビンゲン〔中世ドイツのベネディクト会女子修道院長〕や、マーティン・ルーサー・キングやガンジーのような、人類の灯台ともいえる、あなたの理想の人物を。

そして、その賢人がいま生きていたらと想像してみよう。その人物がひっきりなしに自分のスマートフォンでニュースをチェックしていたとしたら、あなたが抱くその人のイメージは台無しになってしまうのではないだろうか。

ニュースは私たちの存在を問う壮大な疑問には答えられない。それどころか、そうした疑問は存在しないと私たちに信じ込ませようとさえする。

何かを伝えるための表現手段や報告手段はいろいろあるが——小説、実用書、映画、音楽、視覚芸術、研究レポート、エッセーなど——、賢明さを伝えるのに、ニュースほど不向きなものはないに等しい。

賢明さとニュースの消費——このふたつはまったく調和しないのだ。

「より少ない」ことにこそ、豊かさがある

合理的な人生哲学は、必ず次の二点を礎（いしずえ）に成り立っている。

ものごとには自分が影響を及ぼせることと、及ぼせないことがあるということ。そして、自分が影響を及ぼせないことに対して感情を高ぶらせるのは愚かだということだ。

ストア派（古代ギリシャに起源を持ち、ローマ帝国で最盛期を迎えた非常に実践的な哲学の一派）の哲学者たちは、このことを射手のイメージにたとえた。どの弓を選ぶか、矢筒からどの矢を引き抜くか、弓をどのくらいの強さで引くか、どのくらい冷静に弓をかま

えるかは、射手が自分でコントロールできる。
だが矢を放った瞬間から、自分が影響を及ぼすことは一切できなくなる。突風がふいて、矢は飛行コースから外れてしまうかもしれない。あるいは、飛行中に矢が折れることもあるかもしれない。あるいは、飛んでいる矢と標的のあいだに邪魔が入るかもしれない。あるいは、標的が動いてしまうかもしれない。

ニュースで報じられることの九九パーセントは、あなたが影響を及ぼせる範囲外にある。世界のどこで、何が、どのように起きるかを、あなたはコントロールすることができない。あなたのエネルギーは、自分で影響を及ぼせるものに向けたほうがずっと合理的だ。

それが地球全体にくらべれば小さな世界であることは認めざるを得ないが、これぱかりはどうしようもない。あなたは、自分の人生や家族や仕事や、住んでいる地域や町に影響を及ぼすことはできる。だがそれ以外のことは、ただ受け入れるほかないのだ。

二〇〇〇年前にエピクテトスによってもたらされた、こんな哲学的論拠もある。「どこに注意を向けるかによって、あなたがどんな人物になるかが決まる。（中略）どんな思考やイメージで頭を満たすかを自分で決めなくては、あなたのかわりにほかの誰かがそれを決めてしまうだろう」。

ニュースを消費すると、あなたは別の人間へ、別の人格へと変わってしまうのだ――頭を賢明な内容で満たしたときよりも、劣悪な人格へと。

賢明さを獲得するには、「少数の優れた思想家について学び、彼らのあげた成果を吸収することだ」とセネカは（やはり二〇〇〇年前に）提言している。

短いニュースを次々に消費するのは、矢継ぎばやに新たな旅に出つづけるようなものでもある。セネカはこうも述べている。「四六時中、旅に出かけている人には、知り合いはたくさんできるが友人はできない」。


自分にとって何が重要かを自分で決断する自由は、よい人生の基本要素だ。言論の自由よりもさらに根本的な基本要素だ。

重要な最新情報だと喧伝される報道に、いちいち頭のなかを乱されるのを拒む権利は誰にもある。すでに私たちの頭のなかはいっぱいだ。

新しいものをもっと詰め込むのはやめにして、頭を浄化し、解毒し、いまあるごみを取り除こう。情報を追加するより、削減するほうが得られるものはずっと大きい。

現代では、「より少ない」ことにこそ豊かさがあるのだ。

▼**重要なポイント**

ニュースは、私たちの存在を問う壮大な疑問に答えることができない。私たちの存在にかかわるちょっとした疑問にすら答えられない。ニュースにできるのは、せいぜい私たちの心の落ち着きを乱すことくらいだ。

心の平静とニュース——このふたつは調和しない。人生における賢明さとニュースも、当然のことながら調和しない。いまより少しでも賢明になりたければ、劣悪なニュースでなく、質のよい本を読むべきだ。

30

まだ確信が持てない人へ

「過去一〇年間の年表」と「ニュース」を書き込む

これまでのページであなたは、大砲から連射される砲弾さながらに次々と展開される、ニュースを断つべき論拠に耳を傾けてきた。ニュースなしの新しい生活でもたらされるメリットについて、確信を持ってもらうことはできただろうか。

この章は、まだ確信が持てていないという人にだけ読んでいただければじゅうぶんだ。ただこの章を読む人は、私にもう一度だけチャンスを与えてほしい。

あなたに試してみてほしいことがある。時間は二〇分しかかからない――今後あなたが獲得できるかもしれない余分な時間に比べれば、ほんの束の間だ。

紙を一枚用意してテーブルの上に横向きに置き、たて線を引いて紙の表面を一〇等分しよう。そして左から右に向かって、二〇一〇、二〇一一、二〇一二……二〇一九というように、過去一〇年間の年数を書き入れる。

そして今度は紙の中央に水平に線を引き、それぞれの欄を上下ふたつに分割する。そうしてできた上のほうの欄に、その年に起きた重大ニュースのうち、あなたの頭に浮かんだものをすべて書き留めてほしい。いんちきをしたり、グーグルで検索したりはしないように。

この試みの目的は、**「ニュースがいかに一過性のものにすぎないか」**をあなたに示すことだ。

たとえば、二〇一六年の欄には「トランプがアメリカ大統領に選出される」と書いてもいいし、二〇一二年なら「シリア戦争がはじまる」と書いてもいい。そうすると、過去一〇年のあいだにあなたの脳に取り込まれた二〇万件（！）ものニュースのなかで、頭のなかに残っているものはほとんどないことがわかるはずだ。

下の欄には、「その年に起きたあなたの人生の大きな変化」を書き込もう。大成功をおさめたこと、打ちのめされたこと、ひらめきを得たこと、あなたの人格や、家族や、キャリアや、友人関係や、私生活や、精神生活に起きた大きな変化などを書き留めていく。

ひょっとしたらあなたは、この一〇年のあいだに結婚したかもしれないし、子どもが生まれたかもしれない。大学で勉強することを決めたかもしれないし、逆に大学を辞めたかもしれない。解雇された人もいるかもしれないし、癌になったり、父親が亡くなったり、宝くじに当たったり、家を買ったり、世界旅行をしたり、スタートアップ企業を立ち上げたりした人もいるかもしれない。

書き終えたら、次に**どのニュース（上の欄に記入したこと）があなたの人生の変化（下欄に記入したこと）に直接影響を及ぼしたかを考えよう。**

もし、二〇一五年に起きたヨーロッパの難民危機がきっかけとなって、一年後に仕事を辞めて独自の支援プロジェクトを立ち上げたのだとしたら、太いペンを使って、二〇一五年の欄に書き込んだ難民危機と、二〇一六年の欄に書き込んだ支援プロジェクトのあいだを線でつなごう。

この一〇年間に起きた出来事のあいだを結ぶ線は、何本引けただろうか？

えっ、線は一本も引けなかったって？　驚くことはない。それがふつうの状態だ。ニュースの世界とあなた自身の人生とは、ふたつの異なる宇宙のようなもので、相互にはなんのかかわりもないのだ。つまりあなたは、騒々しいニュースをまるごとあっさり無視してしまってかまわないということになる。

あなたが線を引ける出来事をひとつ見つけたという場合でも、その出来事が起きるのに、ニュースという伝達機構はおそらく必要なかったはずだ。

二〇一五年に起きたジャーマンウイングスの墜落事故（上の欄に記入したこと）であなたの義理の母親が命を落としていた（下の欄に記入したこと）としても、その出来事とニュース報道のあいだには、なんの因果関係も存在していない。

「古新聞」をできるだけたくさん読むとわかること

これでもまだ確信が持てないだろうか？　あなたは相当な頑固者のようだ！

それではもうひとつ、こんなことを試してみてほしい。

あなたの町の図書館でまる一日過ごし、一〇年前、二〇年前の古新聞をできるだけたくさん読んでみよう。するとし、重要なテーマは必ずといっていいほど見過ごされているのがわかるはずだ。

ジャーナリストたちはこれから起きることの兆候に気づいていないだけでなく、誤った兆候に着目し、それに誤った解釈を加えていることとすらある。

たとえば二〇〇七年の新聞に目を通してみても、間近に迫りつつあった金融危機を予感させる記述はほぼ見当たらない。せいぜい、飛びぬけた利益をあげているトレーダーへのおべっか記事がいくつか見つかる程度で、その周りは決まって、通俗的な逸話や事実やスキャンダルの厚い雲に取り囲まれている。それらの記事の主役たちは、いまでは誰も知る人のない人物ばかりだ。

当時のニュースを読むと、あなたはおそらく馬鹿馬鹿しさを覚えるだろう。同様に、いま消費されている「ニュース速報」も、一〇年後には馬鹿馬鹿しく思えるに違いないのだ。

インターネットでは、ドイツのテレビニュース「ターゲスシャウ」のアーカイブが公開されている。そのなかからあえて古いニュースを選んで、ここで内容を見てみることにしよう。

この本のドイツでの刊行日は二〇一九年の九月三日だ。そのちょうど二五年前には、どんなニュースが伝えられていたのだろう？

「一九九四年九月三日のターゲスシャウ」でグーグル検索をかけると、私たちはどんなニュースを目にすることになるだろう？

キリスト教社会同盟［バイエルン地方を拠点とするドイツの地域政党］がミュンヘンで党大会を開催。悪天候による休業手当の廃止に対して抗議する建設作業員。ゴルバチョフ元書記長が在任当時にかかわった東ドイツの土地改革についての論評。ドイツに駐屯していた最後のロシア軍兵士が撤収。第二次世界大戦時の、ドイツ軍からの解放記念日を祝うベルギー国民。コール首相が開館初日の博物館を訪問。中国とロシアが協力関係を強化する意向を表明。フォルクスワーゲンがインドに進出。ヴェルダー・ブレーメンがブンデスリーガのトップに立つ。ポツダムで子どもフェスティバル開催。宝くじの当選番号。

なんらかの理由で、このテレビニュース「ターゲスシャウ」がもし放送されていなかったら、と想像してみよう。その結果、どんな事態がもたらされていただろうか？　放送がなくても、何ひとつ変わらなかったに違いない。

ニュース産業は、社会における盲腸のようなものなのだ。しょっちゅう炎症は起こすが、特にこれといった機能はない。切り離してしまうのが一番だ。

31

民主主義への影響　その①

「ニュースなし」で政治的な討論をすることは、可能か？

もしかしたら私は、この本であなたの「ニュース信仰」を少しは揺るがすことができたかもしれない。あなたや、あなた以外にも何人かの読者のみなさんに、ニュースフリーで暮らしたほうが人生は上向きになるのだと納得してもらえていたらいいのだが。

けれども大多数の人が、社会に積極的に関与し、教養ある人生を送るには、世界の時事問題を日々把握しなくてはならないと信じているというのも明白な事実だ。ニュースを断つことは、モラルに反する行為だと即座に決めつけられる。教会の日曜礼拝に参加しないことが、中世にはモラルに反する行為だと見なされていたように。

そして、この「社会的モラル」との関連において最もよく耳にするのが、**「ニュースは民主主義を機能させるために絶対必要な基盤ではないのか」**という反論だ。しかし幸いなことに、この反論は簡単に覆すことができる。

仮に私たち全員がニュースを断ったとしたら、結果として私たちは、民主主義を損なうことになるのだろうか？　この疑問は、ふたつに分割して考察しようと思う。まず、「選挙や住民投票の際、有権者はニュースなしでどのようにして正しい決断を下せばいいのだろうか？」。それから、「ニュースがない場合、権力の監視は誰が担うことになるのだろうか？」。

まず、ひとつ目の疑問について考えよう。ニュースを断っても、選挙や住民投票で理にかなった投票をすることはできるのだろうか？　ニュースなしで政治的な討論をすることは、そもそも可能なのだろうか？

どちらの疑問にも、しっかりとした意見を形成するにはニュースメディアが不可欠だという人々の思い込みが反映されている。だが、その考えは間違っている。

近代民主主義精神の父と呼ばれる哲学者たち（ルソー、ヒューム、ロック、モンテスキュー）が生きていたのは、ニュースの洪水がはじまる前の時代だ。

そのうえ当時は、広く人々に影響を及ぼせるような政治的な討論ができる場もなかった。それでも、本やパンフレットやエッセーを通して、もしくは討論クラブや公的な集まりで討論は行われていたし、雨後の筍のようにいたるところに出現していた政治サロンも――興味深いことにそれらの主催者はほとんどが女性だった――、政治的な討論の活性化に寄与していた。

アメリカ革命、フランス革命、一八四八年革命、東ドイツの崩壊など、過去四〇〇年のあいだに起きた大規模な民主主義的変革には、「ターゲスシャウ」も、ニュースポータルもニュースフィードも必要なかった。対照的に、ニュースを原動力として発生した民主主義運動のほうは失敗に終わった――その代表的な例が「アラブの春」だ。

もっと時代を遡ってみよう。二五〇〇年前の古代ギリシャでは、新聞やテレビやインターネットがなくても民主主義が機能していた（ただし、女性と奴隷と三〇歳以下の男性を除いた選ばれし人たちによる民主主義ではあったが）。意思決定に必要な情報は、どうやって入手していたのだろう？

人々は思索し、議論をしていた。アテネのことを決める際に、無関係な情報をまき散らす機械を手に入れて決断の質を上げようと考える人など誰もいなかった。

選挙の「投票前」に行っていること

現代に話を戻そう。選挙や住民投票のとき、ニュースなしで理にかなった投票をするにはどうすればいいだろう？

選挙の投票に対する私のアドバイスは次のとおりだ。

まずは候補者の実績をチェックして、公約を見るのはそのあとにしよう。場合によっては、グーグルで検索して情報を得なくてはならないときもあるだろうが、そうしてたどり着く先はひょっとしたらニュースサイトになるかもしれない。

だが、それでも特に問題はない。インターネットのなかを進む道すじを決めているのが、メディアや機械でなく、あなたである限りは。

住民投票の場合はもっと簡単に解決できる。スイスでは住民投票の前には、提出された改正法案の議案が無料で有権者の自宅に配られる。その法案に対する賛否両方の主張の要点もそこに併記されているため、それらが自分の意見を固めるための基盤として大いに役に立つ。

ほんの一日ニュースの消費をやめただけでも、住民投票の対象となっている法案について思案するための時間はじゅうぶんとれるし、それに自分で思考をめぐらせれば、そのぶん、民主主義における市民の役割をきちんと果たせることにもなる。

自分の意見が固まったら、私は二、三人の友人と法案について議論をして、自分とは反対の立場の意見を聞くようにもしている。

「反対の立場の意見」を、「自分の意見」と同じくらい論理的に主張できるようにならなければ、そのテーマについて語り、投票する資格はないように私には感じられるからだ。

「ニュースの激化」と「討論の劣化」の相関関係

ニュースは民主主義にとって「重要でない」だけでなく、「害」にすらなるときがある。この三〇年で政治的な討論の質が著しく低下したことは誰の目にも明らかだが、ニュースの洪水が激化した時期と、討論の質が劣化した時期とはぴたりと一致する。

この三〇年のあいだに、無数の民間テレビ局やラジオ局が設立され、無料新聞が市場に溢れるようになり、ニュース専門放送局がこぞってネット配信をはじめ、インターネットの普及によって私たちとはまったく無関係なニュースが世のなかに流布するようになった。スマートフォンが登場した二〇〇七年からは、私たちのごくプライベートなエリアにまでニュースが入り込む手段もできた。それからというものニュースはずっと、私たちの手のなかにおさまっていたり、ズボンのポケットに差し込まれていたり、私たちと一緒にベッドに入り込んだりしている。

ニュースの洪水の激化と政治的な討論の劣化との相関関係は、ただの偶然ということもあり得ないわけではない。だが、私はそうは思わない。展開の仕方が、「軍拡競争〔軍備を拡張する他国より優位に立とうと、国同士が相互に軍事力の増強を繰り返すこと〕」を生み出すメカニズムに似ているように思えるからだ。

たとえば、あなたはサッカーの試合を観戦しているとする。あなたの前にいる観客の何人かが、フィールドがよく見えるようにとつま先立ちをする。すると、試合を見るためには全員がつま先立ちせざるを得なくなる。だがそんなことをしても、全員がこむら返りを起こすだけで、もたらされる実質的な利益はゼロだ。

ニュースの生産と消費においても、同じ状況が起きている。**誰かが大声で騒ぎ立てれば、全員がさらに大きな声で騒ぎ立てなければならなくなる。**ひとつのサイトがスキャンダラスな表現で主張を展開すれば、ほかのサイトもさらにスキャンダラスな表現で応戦せざるを得なくなる。

その結果もたらされるのは、ホワイトノイズのように無意味な大量のニュースと意見の二極化だ。

ニュースは、ある種の「底辺への競争」へと向かっているのだ――情報はどぎつく、極端に短い形で発信するということを最小の共通分母として。

あなたひとりではこの流れを抑えることも改善することもできないが、競争に加わらないという選択をすることならできる。民主主義におけるよき市民でありたければ、この競争に参加するのはやめたほうがいい。

32 民主主義への影響 その②

「調査報道」と「解説ジャーナリズム」が必要

前章では、ニュースの台風に首を突っ込むよりも、ニュースを断ったほうが民主主義に寄与できるということが明らかになった。

今度は、民主主義にかかわるふたつ目の疑問について考えてみよう。**誰もがニュースを断ったとしたら、権力の監視は誰が担うことになるのだろうか？**

民主主義を機能させるには、真実を白日の下にさらし、複雑な周辺事情を描き出す報道が不可欠だ。ニュースをレポートするよりも、はるかに難しい報道分野である。私たちに必要なのは、つまり次の二種類のジャーナリズムということになる。

ひとつは、事実や問題点を突き止める**「調査報道」**。そしてもうひとつは、起きたことの全体像を描写し、その背景を説明したり、解説を加えたりする報道である。後者は、ここでは「**解説ジャーナリズム**」と呼ぶことにしよう。

どちらのジャーナリズムも難易度が高く、費用がかかる。どちらも生産する側の卓越したスキルと、消費する側の集中力がなくては成立しない。そしてどちらも、ニュースという形には適していない。


史上最も有名な調査報道の実例は「ウォーターゲート事件」だろう——ニクソン大統領を辞任に追い込んだ、アメリカの職権乱用スキャンダルである。

もちろん、これほどセンセーショナルな事件は調査報道でもごくまれで、自治体レベルでも類似の例はほぼ見当たらない。だが、そんなことはたいした問題ではない。調査報道が重要であることに変わりはない。世界レベルでも、地域レベルでも、自治体レベルでも、権力から目を離さない人間が私たちには必要なのだ。

しかし残念ながら、そのための才能のあるジャーナリストはごくわずかだ。ニュースジャーナリストとは対照的に、調査報道のジャーナリストは、ひとつの案件に多くの時間を費やさなくてはならない。たったひとつの記事を書くのに、ときには数週間や数か月かかることもある。ほとんどの場合はコピー・アンド・ペーストでことがすむ、ニュース報道とは対極的だ。

調査報道のジャーナリストは、調査対象の権力者と同じくらい、テーマとなる領域に精通していなくてはならない。ニュースジャーナリストとは違って、彼らは快適なオフィスを離れ、厳しい外の世界へ出ていかなければならない。

調査報道のジャーナリストは、入手した情報が公表に値するからといって、それをそのまま掲載して満足したりはしない。もっと深くことを掘り下げ、自ら積極的に動いて、真相を究明しようとしたり、事実の裏づけをとろうとしたりする。

真実を明らかにする彼らの調査結果は、ときには非常にセンセーショナルな内容になることもある。それらを、一口サイズの短いニュース形式で公表する必要はあるだろうか？　その必要はまったくない。真実が明るみに出るのが一日や一週間や一か月早くなろうが遅くなろうが、そんなことが重要である場合はめったにないからだ。

重要なのは、念入りに、深く、徹底的に調査がなされていることだ。

確かに、ウォーターゲート事件は調査報道ではあっても、掲載されたのは日刊紙（ワシントン・ポスト）だった。だが記事はどれも長く（九〇〇〇字から一万六〇〇〇字）、写真なしでぎっしり文字の詰まった一般紙一面分に相当する分量があった。濃厚飼料のようなニュースとは対極をなす長さである。

ボブ・ウッドワードとカール・バーンスタインの両記者は、彼らの調査結果を雑誌の長文記事として発表することももちろんできた。あるいは詳細なブログ記事（もし一九七二年当時にブログが存在していたならの話だが）や、本の形で発表することもできただろう。
あなたがニュースから距離を置いても、国家の第四権力ともいわれるジャーナリズムを損なうことには少しもならない。あなたは逆に、信用するに足る調査報道を後押しすることになるのだ。

これからのジャーナリストに望むこと

私たちがいますぐにでも必要としているもうひとつのタイプのジャーナリズムは「解説ジャーナリズム」だ。出来事の背景や、その発生要因や煽動要因、重要な展開の裏にあるものごとのつながりをくまなく照らし出し、解決策を指摘する役割を果たすジャーナリズムである。

発表にふさわしいフォーマットは長文の新聞記事や雑誌の記事、特集記事、ドキュメンタリー番組、ポッドキャストや本などだ。

そしてこのタイプのジャーナリズムでも、やはり表面的なニュースジャーナリズムとはまったく異なる能力が求められる。解説ジャーナリズムのジャーナリストは――調査報道のジャーナリストと同じように――基本的にスペシャリストでなくてはならない。

そして人がスペシャリストになれるのは、ひとつの領域でのみか、多くてもふたつの領域でだけだ。

一〇や二〇や三〇ものさまざまなテーマについて意見を述べているジャーナリストの言うことを、本気にしてはならない。そのジャーナリストの分析も、意見も、〝世界についての解説〟も——たとえそれがどんなに洗練された言葉で書かれていようと——価値がないことは確実だ。

この本には、知的なジャーナリストはニュースジャーナリズムに別れを告げ、調査報道や解説ジャーナリズムのジャーナリストになってほしいという願いも込められている。そして、才能の乏しいジャーナリストは別の仕事を探してほしいという願いも。そのほうが、社会のためにも彼ら自身のためにもなるだろう（質の悪いジャーナリズムで得られる所得はけっして高いとはいえないだろうから）。

つまり、ジャーナリストが少しでも自分を尊重しようとするなら、必然的に「能力の輪」（第九章参照）を構築するしかないということだ。

ある決まった領域のスペシャリストになる必要があるし、ジャーナリストとしての仕事をこなすにはコミュニケーション能力に長けている必要もある。このふたつの課題をクリアできる人はほんのわずかだ。

そのわずかな人たちが自分の知識や能力と引き換えに要求するお金は、誰が支払えばいいのだろう？　専門的な出版物は別として、解説ジャーナリズムを包括的に支えるための安定したビジネスモデルはいまだ確立されていない。

それでも、ニュースを断ってメディアの質に期待をかける人が増えれば、そのぶん、そうしたビジネスモデルがいつか実現する可能性も高くなる。

変化は――健康的な食生活への変化がそうだったように――消費者側から起こさなくてはならない。市場はその後、消費者の需要に応じて変化していくだろう。

33

「ニュースランチ」のすすめ

昼食の相手と「ひとつのテーマ」について一五分話す

私には、公共のスペースや、もしかしたら民主主義まで活気づけることができるかもしれないアイディアがある——それも、有害なニュースを使うことなく実現できるアイディアだ。それをこれからご紹介しよう。

食事は誰もがとらなくてはならない。昼食は特にそうだ。ときどき私は自分のオフィスで、ひとりで昼食をとる。その場合は、食事は手早くすむし、ついでにオーディオブックを聞くこともできる。

ときどきはビジネスランチになることもある。友人の誰かと会うときもある（訊かれそうなのであらかじめ答えておくと、そのなかにはジャーナリストも含まれている）。昼食をともにする相手が誰であれ、私はいつも最初にこんな質問をするのを習慣にしている。

「食事が終わってナプキンを折りたたんだあと、この昼食が有意義だったかどうかを判断

する基準は何にしましょうか?」

すると、答えはたいていこんなふうになる。昼食の相手から、それまで知らなかった真実や重要な何かを聞くことができたかどうか——つまり、世界をもっとよく理解できるようになるための新しい視点を得られたかどうかが判断の基準になるということだ。

この形式の昼食が特に楽しく価値あるものになるのは、**それぞれが相手に話すテーマをひとつに絞り込んだときだ**。そうすれば、上滑りな話に終わらずにテーマを掘り下げることができる。そのうえ、相手がどのように自分のテーマと向き合い、取り組み、そこからどんなふうに新しい認識を得ているかを互いに知ることもできる。

昼食の相手がジャーナリストのときは、相手は自分が取り組んでいる最も重要なテーマについて私に話して聞かせてくれる。ふたつでも三つでもなく、ひとつのテーマについてだけ。そうすれば、その出来事のニュアンスや微妙な部分、発生要因や背景、そしてジャーナリストとして相手がどんな立場をとっているかも知ることができる(要はメタ情報が得られるということだ)。

一五分経ったら役割を替えて、今度は私が話す番になる。私はそのとき自分が煩わされている問題について——ふたつでも三つでもなく、たったひとつの問題についてだけ——相手に話す。それは執筆している本の章に関する問題のこともあれば、事業のアイディアに関する問題のこともある。**話す時間は、同じく一五分**だ。

その後、エスプレッソを飲んで支払いをすませるまでの時間は、そのほかのテーマについて話したり、互いの話をもっと掘り下げたりする。

この形式の昼食を、私は個人的に**「ニュースランチ」**と呼んでいる。

ニュースランチのあとは、私はいつも軽やかな足取りでオフィスに戻る。この形式の昼食が——少なくとも私にとって——失敗に終わったことは、いまのところ一度もない。

そのため私は、この「一五分間のスピーチ二本をともなうニュースランチ」というアイディアをさらに発展させて、肉や魚や野菜だけでなく〝新しいアイディア〟を求めている多くの人たちに、同じ経験ができる場を提供してはどうかと考えている。たとえばこんなふうに。

知的な会話が生まれる食卓のためのアドバイス

どこかの都市でイベントスペースやレストランを借りて、定期的にニュースランチを催すのだ。アプリやウェブサイトを通して、その日のニュースランチに申し込みができるようにする（そして支払いも同時にすませられるようにする）。

「活きのいい一五分間の講演が二本と、ヘルシーな昼食」という品書きで、開催は、毎日平日の一二時から。具体的な構成は次のとおりだ。

ひとりのジャーナリストが、目下取り組んでいる最も重要なテーマについて、一五分間、話をする。取り上げるのは、ふたつでも三つでもなく、たったひとつのテーマだけだ。**話の焦点は「記事そのもの」ではなく、その出来事の「背景」に当てる**。そのジャーナリストの仕事の仕方、つまり、テーマにどのように取り組んでいるかや、取材を通して感じられること、その手ごたえなども、話の一部でなくてはならない。テーマが地域に密着していればいるほど、その話と直接的なかかわりを持つ参加者の数も増えるだろう。

そして次は研究者が（あるいは、専門分野を持つジャーナリストであれば、ジャーナリストでもよい）、展開が緩やかだったり、抽象的だったり、刺激的な画像が撮れなかったり、人々の運命から記事が構築できなかったりするために、メディアで取り上げられないひとつのテーマについて講演する。このふたつ目の講演の長さも同じく一五分だ。

そして二本の講演が終わったあとは、手早くとれてヘルシーな昼食の時間になる。セルフサービスでも、給仕を受ける形式でもかまわない。**食事も含めたニュースランチ全体にかかる時間は、六〇分から最長でも七五分に設定する**。

食事のあいだは何について議論することになるだろう？　もちろん、ふたつの講演のテーマについてだ。食卓での知的な会話を生み出すのに、これ以上すばらしいロングパスはほかにない。

それに加えて、参加者は毎回、自分と同じように「世界を動かしているもの」を理解しようとしている新しい人々と知り合うこともできる。

言ってみればニュースランチは、精神的にも、人間関係においても、また料理のヘルシーさという点からも、昼休みに自分を高められるよい機会になるというわけだ。

こうしたニュースランチは誰が主催すべきだろう？　レストランでもいいし、企業家として活躍している個人でもいいし、あるいは報道機関自らが主催してもいい――ニュースランチの参加者一人ひとりに、自社メディアの購読者になる可能性があることを考えれば自明のことだ。

大きな都市には確実に、複数のニュースランチが競合できるだけの余地があるはずだ。時間が経つにつれ参加者たちは、最も興味深い人々が昼食をとりに集まるのはどこで、自分と最も関連の深い講演が聞けるのはどこかがわかるようになってくるだろう。

ひょっとしたらこのアイディアから、複数の都市に広がる社会的なトレンドが生まれるかもしれない。

たとえばあなたが知らない街にいて、昼どきで、一緒に食事に行ける知り合いが誰もいなかったとしよう。もちろんあなたは、どこかの飲食店の隅にひとりですわって、ハンバーガーを平らげることもできる。けれども、その街のニュースランチを探して訪れる以上に賢明な選択肢がほかにあるだろうか。

知的な話が聞けることも、ヘルシーな食事も、興味深い人々がいることも保証されているうえに、それらがよく知った流れと妥当な料金で楽しめるのだ。

正式な会員制度がなくても、ひょっとしたらそこから世界を包括するようなコミュニティが生まれるかもしれない。濃厚飼料のような従来のニュースにうんざりし、世界をもっとよく理解したいと熱望する人たちのコミュニティが。

「益なきことを語るなかれ」――アメリカの政治家、ベンジャミン・フランクリンが挙げた一三徳のひとつだ。このことは特に食卓での会話に当てはまる。あらゆる面において栄養価が高くなくては、実のある昼食にはならない。

34 ニュースの未来

それは飛躍的に増え、いつどこでも私たちを包囲する

ニュースはこの先どうなるのだろう？　私には次の四つの傾向が見えている。

［傾向その一］ニュースの洪水は飛躍的に増加する。

地球の人口が増えれば、そのぶん起きる出来事も増加する。記録が樹立される数も、発明品の数も、残虐なことや、すばらしいことや、思いもよらないことが起きる頻度も増加する。人口一万人の村でもたらされるニュースの素材は、一〇〇億人の社会でもたらされる素材よりもはるかに少ない。

人口が増えるにつれて、人間同士のかかわりの数は、直線ではなく急激なカーブを描いて上昇する。その一方で、ニュースの作成や報道にかかるコストは無料に近くなり、それに応じてニュースの洪水の水位も、直線ではなく急激なカーブを描いて上昇することにな

る。

ニュースと私たちの人生との関連はほぼゼロのまま、くだらないニュースの数は爆発的に増えていくだろう。

【傾向その二】ニュースはいついかなる場所でも私たちを包囲する。

かつて人々は、決まった時間に決まった場所でニュースを読み、見て、聞いていた。ニュースのある時間帯もあれば、ニュースのない時間帯もあった。ニュースのある場所もあれば、ニュースのない場所もあった。

しかしいまでは、公的なスペースにも私的なスペースにも、ニュースはあらゆる場所にときを選ばず入り込んでいる。この傾向は今後ますます強くなるだろう。

バスや路面電車のなかに、どうしてニュース画面が必要なのだろう？　どうしてガソリンスタンドにニュース画面があるのだろう？　なぜ駅に巨大なニュース画面が設置されているのだろう？

世間に蔓延するこの迷惑行為を煽動しているのは、ご多分に漏れず、ニュースと広告という世俗の同盟関係だ。つまりニュースの生産者の関心事とニュースの消費者の関心事は、一致していないのだ。

ニュースは仕事中も私たちを追いまわし、スマートフォンを介してトイレや寝室にまでついてくる。朝、歯磨きをしているときに、ニュースを表示する鏡すらある。ニューヨークでタクシーに乗る人は、車内で流されているニュースにじっと耐えなくてはならない。ひょっとしたらそのうち、商品を大幅に割引するのと引き換えに、目の前にニュースと広告が入り混じったものを定期的に映し出す、ブランドものの無料サングラスもできるかもしれない。

ニュースはいたるところにある。逃れたければ、何か思い切った措置をとるしかない。

あなたを確実におびき寄せ、真実から遠ざける

［傾向その三］アルゴリズムはどんどん私たちへの理解を深める。

ネット上にあなたがデータを残すときには（グーグルでもフェイスブックでもアマゾンでもアップルでも、あなたのホスティングプロバイダでもニュースサイトでも）、あなたの人物像をもっとよく把握するためのプログラムが必ず作動している。

すでにいま、こうしたアルゴリズムの多くは、あなたが自分自身について描写できるよりもっとよくあなたのことを知っている――あなたの好み、政治的な信条、消費行動、キャリア、休日の過ごし方、人間関係の特徴、一日の流れ、あなたが抱えている願望や、心配ごとや、厄介ごとについてまで。どうすればあなたの感情を捕らえることができるかも、

アルゴリズムは承知している。あなたのパートナー以上に、あなたの感情のスイッチを理解している。

つまりこのコンピュータプログラムは、あなたが最も影響を受けやすいニュースや画像や動画を使って、あなたを確実におびき寄せることができるのだ。

しかし残念ながら、アルゴリズムは私欲なしでそれを行っているわけではない。冷静に計算をしているコンピュータのうしろには、したたかな意図が潜んでいる。お金を——あなたのお金を——見たいという、企業の所有者たち（株主）の意図が。

広告、商品、政治的な意見、世界観など、彼らの目的は、常にあなたに何かを売り込むことだ。もちろん、この点においては紙の新聞も同様だった。紙の新聞も資金の大部分は広告で賄われていたし、ニュースは広告に注意を向けさせるためのおとりとして使われていた。だが紙の新聞はあなたのことを何も知らなかったため、広告の効果もそれほど大きくはなかった。

ところが現代のアルゴリズムは、おとりとなるニュース（専門用語では「クリックベイト」と呼ばれている）を、はるかに的確に投入することができる。そのため、押し寄せる大量のニュースから距離を置くのはどんどん難しくなっている。

タバコやアルコールやコカインが、ただ単に無料なだけでなく、見えざる手によっていつでも四方八方から無償で提供されたとしたらどうなるか、想像してみてほしい。間違いなく、ほとんどの人は依存症に陥るだろう。まさにそれが現在のニュースの状況だ。

ニュース中毒に陥るのを防ぐ堤防の高さは、低いのでもゼロなのでもなく、マイナスなのだ。ニュースを手に入れるのは簡単だが、強い自制心を働かせなくてはニュースの消費をやめることはできない。

［傾向その四］ニュースはますます真実から遠ざかる。

アルゴリズムはあなたの心の奥底を知っているだけではない。どんどん創造力も増している。コンピュータプログラムはすでにもう、人間の助けを借りずに人工知能を使って文章や画像や動画をつくり出すことができる。

数年後には、機械が生み出したニュースは本物のニュースと見わけがつかなくなるだろう。それどころかそうしたフェイクニュースは、本当のニュースよりももっと人を引きつけるに違いない。

それもそのはずで、フェイクニュースはただただ人の注意を奪い取るためだけにつくられている。それが現実に即しているかどうかは別問題だ。

ひょっとしたらあなたは、「フェイクニュースの操作に、一体誰が興味を持つというのだろう？」と疑問に思うかもしれない。だが、データを取得するためにあなたの注意をできるだけ長く捕らえておきたい組織は間違いなくフェイクニュースに興味を持つだろうし、あなたの意見を（特に政治的な見解を）操作しようともくろむ組織も同様だろう。

フェイクニュース自体は昔からあった――中世末期にはフルークブラットがあったし、戦争中にはプロパガンダがあった。しかしかつてとの最も重要な違いは、「これからは人間自らが偽造をしなくてもすむ」という点だ。

かつてはどの嘘の背後にも人間がいて、彼らは自分の道徳意識と闘わなくてはならなかった。だがまもなく、嘘の背後に控えているのはコンピュータプログラムだけになる。コンピュータには、道徳意識はない。

35

ニュースを断つ感覚

チャールズ一世が処刑された「翌日」何が起きたか？

一六四九年一月二六日。イングランド・スコットランド・アイルランドの王だったチャールズ一世は処刑の宣告を受けた。議会を開催しようとせずに専制政治を行ったため、内戦が起こり——敗北したのだ。

その時代の王が全員そうだったように、チャールズ一世も自らを神によって王に選ばれし者と見なしていて、処刑が決まったあとも国民の大半がそれを信じていた。

国王の処刑が決まったのはヨーロッパ史上はじめてのことだった。世のなかは、それが果たして許される行為なのかという不安や、その結果としてもたらされる事態への恐れで覆いつくされた。神は、世界を混乱へ陥れておしまいになるだろうか？

一六四九年一月三〇日の一四時きっかりに、多くのやじ馬たちが見守るなかで、国王は断頭台に上がり、首をくぼみに乗せた。

そして短い祈りをささげたあと、合図を送り、死ぬ準備ができたことを死刑執行人に知らせた。正確に落下した刃の一撃で、頭は台から転がり落ちた。群衆から一斉にうめき声が漏れた。なかには流れてきた血を自分のハンカチにたっぷりと浸み込ませる者もいた。

しかし翌日の一月三一日になっても、**人々の暮らしは何ひとつ変わらなかった**。まるで何ごともなかったかのように、テムズ川は以前と同じように流れ、鳥はさえずり、太陽は予定どおりの時間に昇り、牛は乳を出し、パン屋はパンを焼き、子どもが生まれ、誕生日が祝われ、国王がいなくても世界は回りつづけた。

私の見るところ、人々はニュースに対して、かつて私たちが国王に対して抱いていたのと同じような畏怖の念を感じているようだ。

ニュースを断っていると話すと、最初は必ず「**そんなこと、していいんですか?**」といった反応が返ってくる。今後は新聞を読まないと決めただけで人生の意義がはかなく消えて、やがて社会が破滅してしまうとでもいわんばかりだ。

大げさに聞こえるかもしれないが、実際、多くの人にとってニュースのない暮らしは考えられないのだ。三五〇年前に、国王のいない暮らしが考えられなかったのと同じように。

当然のことながら、メディアはあらゆる手段を用いてニュースは重要なものだというオーラを保とうとしているし、それどころか強化しようとさえしている。

テレビニュースのオープニングで、インパクトのある映像が使われているのはそのためだ。飛行機や、ロケットの発射や、複数の大統領の顔や、自転する地球が大げさな音楽とともに次々とテンポよく映し出される。ここで伝えられるのは重要なことばかりだという印象を与えるための見せものだ。実際には、重要なことなど何ひとつ報じられていないというのに。

何百年ものあいだ、国王はなんの疑問を持たれることもなく玉座に就いていた——だが人々は王の首をはね、そして誰もがふいに、国王がいなくても何も変わらないことに気がついた。

ニュースの場合も状況は同じだ。最初は完全にニュースを断つことは、極端で、モラルに反していて、利己的で、邪道なことに思える。

しかし早ければすでに私たちの孫たちは、あきれたように首を振りながら現代のニュース中毒者のことを思い返しているかもしれないのだ。

「ニュースダイエット」の体験がもたらしたもの

もしかしたらニュースダイエットのはじめのうちは、何か無作法なことをしているような気持ちがぬぐえないかもしれない。少なくとも私の場合はそうだった。

自分は人からひんしゅくを買うような行為をしでかしているような気がしていた。いろいろな情報に通じていることは、りっぱな市民の義務のひとつであるかのように感じていたからだ。

そのため最初のころは、これは馬鹿げた思いつきのようなもので、単なる期限つきの自己実験にすぎないのか、数週間後にはまた放棄するかもしれないとっぴな考えを実行に移してしまっただけなのか、はっきりわかっていなかった。私の論拠も当時はまだあまり練り上げられていなかった。私はこの自己実験のことを誰にも話さなかった。

時事問題が話題になると、そのニュースを当然読んではいるが、私にとってはたいして重要なことではないかのようにふるまった。

周りが「ターゲスシャウ」で小耳にはさんだ出来事について笑ったときは、私もそれに合わせてほほえんだ。誰かが地球の反対側で起きた自然災害について話したときは、気づかわしそうな表情をつくり、その災害の情報は当然得ているが、すでに自分のなかで気持ちを整理してしまっているため、感情を大きく動かされることはないのだという印象を与えられるようにした。

要するに、私はできる限り芝居をして乗り切っていたのだ。

知らない人に会う機会も避けるよう心がけた。毎回世間話のテーマを探さなくてはならないし、天気について話したあとは、すぐにその日起きたニュースに話題が移ってしまうからだ。自分が取り組んでいる自己実験について話すのは決まりが悪かった。

けれども時間が経つにつれ、「自分は正しいことをしている」という確信が得られるようになった。

私の論拠は明確になり、人生の充実感が増し、時間の余裕ができ、決断の質が上がり、心の平静も深まった。ニュースを消費しなければ、あなたもこれらすべてを自分で体験することができるのだ。

この本を読んでくださったあなたは、いまではニュースを断つべき論拠をすべて手にしていることになる。**あとは実行に移すのみだ。**

ニュースフリーの生活をすると、パーティーで退屈な人だと思われそうで不安だろうか？

心配することはない。あなたはどこかの大統領が不愉快なツイートをしたことは知らないかもしれないが、以前より世界をもっとよく理解できるようになっているし、それを友人たちと共有することができるのだ。

あなたの新しい生活スタイルについて話すことをためらう必要もない。周りは興味を持ってあなたの話を聞いてくれるだろう。

そして会話がとぎれたら、最高の触媒になるこんな質問をすればいい。「今週は一体、どんな重大ニュースがあったんですか?」。

するとほとんどの人は、大よろこびであなたに知識を授けてくれるだろう。そのうえ彼らは、膨大だがたいして意味のないニュースの知識を役立てる機会を与えてくれたあなたに、好感を持ってもくれるはずだ。

あなたは聡明な笑みを浮かべてそれに耳を傾けよう。

おわりに、そして謝辞

最初に、私の原稿をつぶさにチェックし、必要に応じて文章に磨きをかけてくれたコニ・ゲビストーフ氏に感謝を贈りたい。

ピパー出版社のマルティン・ヤニック氏以上に有能な実用書の編集者を私は知らない。『Die Kunst des klaren Denkens』（邦訳『Think right 誤った先入観を捨て、よりよい選択をするための思考法』）、『Die Kunst des klugen Handelns』（邦訳『Think Smart 間違った思い込みを避けて、賢く生き抜くための思考法』）、『Die Kunst des guten Lebens』（邦訳『Think clearly 最新の学術研究から導いた、よりよい人生を送るための思考法』）につづいて、今回も彼が私の本の編集を引き受けてくれたことを、私はとても嬉しく思っている。

ニュースによって引き起こされる思考の罠のことを私に最初に気づかせてくれたのは、ナシーム・タレブだった。私が持っている見識の多くは彼が授けてくれた——具体的にどれが彼から学んだものだったかは、もはやわからなくなってしまったが。本書のもとになったエッセーを、私は当初英語で書いていた。それを二〇一一年にドイツ語に翻訳し、『シュヴァイツァー・モナート』誌に掲載してくれたのは、当時の同誌の編集者で、現在は『ノイエ・チュルヒャー・ツァイトゥング』紙で文芸部長を務めるルネ・ショイ氏である。

本書は、ここ何年ものあいだにニュースの消費をテーマに私がいろいろな人々とかわした、数えきれないほどのメールや手紙のやり取りなしにはあり得なかった。感謝のしるしとして、貴重なアイディアを提供してくれた人たちの名前をここに記しておきたい（敬称略・順不同）。トーマス&エスター・シェンク、マンフレート・リュッツ、キッパー・ブレークリー、ヴァレリー・フォン・デア・マールスブルク、ペーター・ベヴェリン、マット・リドレー、ミヒャエル・ヘンガートナー、マーティン・ヴェテルリ、ガイ・シュパイアー、トム・ラドナー、アレックス・ヴァスメア、ショショ・ルーフェナー、マーク・ヴァルダー、クセーニャ・シドロワ、ジョージ・カーン、アヴィ・アヴィタル、ウリ・ジク、ヌマ&コリン・ビショフ・ウルマン、ロルフ&エリーザベト・イェニー、リッカルド&バルバラ・チャルパリーニ、ホルガー・リート、エーリヒ・バグス、ヴォルフガンク・シュトラー、アンヤ・ヘルゲンレーター、エヴァルト・リート、マルセル・ローナー、ニルス・ハーガンダー、シュテファン・ブルプバッハー、ローレンツ・フュラー、ニコル・ロープ、アンドレアス・マイヤー、トーマス・ヴェラウアー、ウース・ヴィートリスバッハ、ヴァルター・トゥルンヘア、ノーベルト・リーデル、ラファエロ・ダンドレア、ダニエル&アドリエン・ズアベク、ミュリアム&フランソワ・ゲールハー、ルー・マリノフ、トム・ウジェック、ウース・バウマン、パスカル・フォルスター、マルティン・シュピーラー、ゲオルク・ディーツ、アンゲラ&アクセル・コイネケ、ダニエル・デネット、ルディ・マター、クリストフ・トニーニ、ジモン・ベルチ、マーク・ヴェルナー、クリスティアン・ドーラー、ギエリ・カヴェルティ、ジャン=レミ・フォン・マット、私の両親であるウエリとルート、そして残念ながら故人となってしまったフランツ・カウフマン。

しかしなんといっても、本書の執筆において一番の感謝を贈るべき相手は、私の妻だ。彼女は私よりもずっと前からニュースを断っていた――妻と出会えたことは私にとってすばらしい幸運だったが、そのとき彼女はすでにニュースを消費していなかった。彼女はアイディアの宝庫だ。私の原稿にいつも最初に目を通してくれるのも妻だ。彼女の原稿チェックの手厳しさは、読者のあなたへの贈りものだ。

二〇一九年四月

ロルフ・ドベリ

ドベリの免責事項

本書の主張は――本書だけでなく、これは私が著す実用書すべてに当てはまることだが――私が刊行時までに獲得できた、最も論理的で最も真実に近いと思える見解を反映したものだ。

私にはいつでも自分の主張を見直す用意がある。もしかしたら、自分自身への反論にかかりきりになることすらあるかもしれない。しかし、私が自分の主張を改めたり、以前の主張に異論を唱えたりすることがあるとしたら、それはひとえに真実により近づくためだ。個人的な利益のためにそうすることはけっしてない。

付録

ここには、特に重要な引用文や調査結果、推薦書や関連するコメントのみを記載した。引用した文章は、ほとんどオリジナル言語のままにしてある。

プロローグ　ピンの落ちる音が聞こえそうなほどの静けさ

・二〇一一年の春にこの記事の最初のバージョンを自分のウェブサイトに掲載すると、かつてなかったほどの反響が寄せられた（好意的な意見も反論も含めて）。

・「News is bad for you - and giving up reading it will make you happier（ニュースは害になる――ニュースを読まなければあなたはもっと幸せになれる）」と題されたこの記事の短縮版は、二〇一三年四月一二日付けで『ガーディアン』に掲載された（https://www.theguardian.com/media/2013/apr/12/news-is-bad-rolf-dobelli）。

・アラン・ラスブリッジャーは一九九五年から二〇一五年まで、イギリス最古の日刊紙のひとつである『ガーディアン』の編集長を務めた。政治的に扱いの難しいウィキリークスの情報が同紙で公表されたのは、彼が編集長だったときのことだ［ウィキリークスが入手した大量のアメリカの機密情報は、二〇一〇年に大手報道機関数社によって同時に公表されたが、この大々的な公開方法を提案し、主要メディアとの連携を主導したのは『ガーディアン』だった］。

ラスブリッジャーは二〇一八年に『*Breaking News: The Remaking of Journalism and Why it Matters*

Now（ニュース速報：ジャーナリズムの再構築、そしてそれがいま重要な理由：未邦訳）』というすばらしい本を上梓し、ニュースジャーナリズムを批判している。

❶ 私がニュースを断つまで　その①

・ルツェルンでは一八九七年に、活版植字工たちの手によって『ルツェルナー・ターゲス・アンツァイガー』紙が設立された。同紙は一九一八年に『ルツェルナー・ノイエステ・ナッハリヒテン』に改名され（一九七五年からは「ノイエステ」ではなく「ノイステ」に変わっている）、中央スイスで最も革新的で最多の発行部数を誇る新聞となった（一九七〇年の発行部数は五万四八〇〇部）。この新聞とともに私は育った。その後、リンギアー社（スイスの大手メディアグループ）が同紙を買収し、一九八〇年には編集長のユルク・トプラーが解雇されて、リンギアー社の人間が編集長に就任した。私たち家族は全員で、トプラーの解雇に抗議してルツェルン市内を歩くデモ行進に参加した。編集長が交代することへの感情的な抵抗は、当時それほど大きかったのだ。私がデモ行進に参加したのは、そのとき一回きりだ。

・『ルツェルナー・ノイエステ・ナッハリヒテン』の各面のページ数は、一九八二年一二月当時のものである。

・スイス放送協会のテレビニュース「ターゲスシャウ」は一九七〇年代には二〇時から放送されていたが、一九八〇年に一九時三〇分からに繰り上げられた。数十年視聴していたあいだに番組のフォーマットが変わることは何度もあったが、番組の長さは一貫して前もって定められた時間が守られていた。一九八〇年代の放送時間は二八分、一九九〇年代は二三分だった（https://www.medienheft.ch/index.php?id=14&no_cache=1&tx_ttnews%5Btt_news%5D=170&cHash=34931e09f707444686 2d72f0a2ed38f5）。

❷ 私がニュースを断つまで　その②

・ポイントキャストのスクリーンセーバーについては次を参照のこと。https://en.wikipedia.org/wiki/PointCast_(dotcom)

・ちなみにニュースは、麻薬のように作用するのではない。ニュースはある種の麻薬で、私たちはそれに依存しているのだ。ただ、周りの誰もが中毒に陥っているため、私たちはニュースの消費を社会的な依存症と認識していないだけだ——十字軍への参加や魔女狩りがどんなに愚かなことかを一二世紀の人たちが理解していなかったのと同じように。一〇〇年後に現代を振り返ったとき、私たちはおそらくこんな疑問を持つことになるだろう。「昔の人はなぜこんな馬鹿なことをしていたんだろう?」と。

❸ ニュースは、砂糖が体に及ぼす影響と同じような影響を精神に及ぼす

・ニュースがいつ発明されたのか、具体的な日付はわからない。一四五〇年に書籍の印刷がはじまった少しあとにはすでにフルークブラットが発行され、幅広い読者を獲得していた。ただし内容は、今日(こんにち)でいうところの「意見記事」がほとんどだった。プロパガンダや、宗教的あるいは政治的な見解を浸透させることが目的だったからだ。

それと並行して、購読料で運営される私設のニュースレター産業もさかんになった。しかしそれらの購読料は非常に高く、商人や銀行家などの選ばれた階層のみを対象につくられていた。報じられていたのは、国内外の政治的変革やその成果について、どんな貨物を積んだどの船がどの港に入港したかという情報で、いまでいう特定の分野に特化したビジネスニュースレターのようなものだった。

広く一般市民を対象に世界各地からの情報を伝える、本当の意味での新聞がはじめて市場に現れたのは、一七世紀初頭のことである。最初は、当時ドイツ領だった現在のフランスのストラスブールで週刊新聞が発行され（一六〇五年）、次にドイツ北部のヴォルフェンビュッテルでも週刊新聞が発行されるようになった。その後、新聞熱はドイツからアムステルダムとロンドンへ飛び火し、最終的にはヨーロッパの全都市へ広がった。一六四〇年にはアムステルダムだけで九紙の新聞が発行されていた。

市場に登場した最初の日刊紙は、一六五〇年にライプツィヒで発行された『アインコーメンデ・ツァイトゥング』だが、日刊新聞として実際に成功をおさめたのは、一七二〇年にロンドンで創刊された『デイリー・クーラント』が最初である。

ニュースの歴史についてもっと知りたいというあなたには、次の二冊の本をおすすめしたい。Pettegree, Andrew: *The Invention of News: How the World Came to Know About Itself*, Yale University Press, 2014. Stephens, Mitchell : *A History of News*, Wadsworth Publishing, 1996.

・ところで、グーテンベルクの話をするときは、中国ではそれより三〇〇年も前に活版印刷が発明されていたということを忘れてはならない。中国語には膨大な数の文字があるため、活版印刷が普及しなかっただけのことだ。

・製作費の高さから本の価格は高く設定せざるを得ず、必然的に本はかなり広い地域で販売する必要があった。そのため印刷業者にとって、本は採算性の高いビジネスではなかった。

対照的に彼らに利益をもたらしたのは、いわゆる「パンフレット」だ。まだ新聞と呼べるようなものではなかったが、なんらかの出来事について書かれた短い文章を掲載した印刷物である。それなら安い価格で売ることができたし、販売地域を広げる必要もなかった。すでに当時、印刷業者（いまでいうところの出版業者）が本よりもニュースを扱うことを好んでいたのはそのためだ。»Pamphlets of this sort offered far quicker returns than more substantial books, especially as most of the copies printed could usually be disseminated locally. One can easily see why publishers were so eager to feed an appetite for news ...〟(Pettegree, Andrew: *The Invention of News : How the World Came to Know About Itself*, Yale University Press, P. 73.)

❹ 徹底的にニュースを断つ

・そのほかに私が読んでいるのは、本だ。ときどき質のよいメディアの長文記事を読むこともある。記事は長ければ長いほどいい。『フォーリン・アフェアーズ』誌、『MITテクノロジーレビュー』誌、『サイエンス』誌や『ネイチャー』誌のような学術雑誌、『エコノミスト』誌の特集記事、それからときには新聞の文芸欄を読むこともある。個人的なお気に入りは、主に専門家の寄稿論文を掲載している新聞や雑誌類だ。

残念ながら、専門分野を持つジャーナリストはめったにいない。だがこれは彼らのせいではない。できるだけ多くの分野の記事をできるだけたくさん書かせようとする、メディアのプレッシャーのせいだ。

ところで、ものを読むときに私が重視しているのは、編集部がお膳立てした道すじをたどって情報を受け入れるのでなく、私が自分で情報を吸収する道すじを決めるということだ。私がテーマを決め、私が自分で興味を持てる質問を設定し、それからその答えや説明や関連することがらを探すようにしている。私は世界を理解したいし、〝世界の機械室〟をできるだけ深くまでのぞき込みたい。そのために一番適しているのは、長文記事や特集記事やドキュメンタリー番組や実用書だ。ものごとを理解するには時間がかかるのだ。

❺「三〇日計画」を立てよう

・»Twice a year, Microsoft co-founder and billionaire philanthropist Bill Gates is known for going off the grid for what he calls ›think weeks‹. During these solitary retreats, Gates reads hundreds of newspapers（原文のままである！）, magazines, and company reports, chugs Diet Orange Crush, emails Microsoft employees about his strategies and visions, and reflects on the future of technology. Famously, one of his think weeks in 1995 led to an email sent to all executive staff titled ›The Internet Tidal Wave‹, which accurately predicted the future of web surfing and caused Microsoft to develop its own internet browser, defeating its competitor, Netscape. The lesson? To recharge our tired minds and come back stronger than our competition, we need to leave the regular routine and distractions of our office. Not all of us have the luxury to take ›a helicopter or seaplane to the two-story clapboard cottage on a quiet waterfront, as Gates has done for his think weeks. Some of us have bills to pay, children to feed, and a shortage of vacation days.«（https://www.theladders.com/career-advice/how-to-take-a-think-week-or-day-like-bill-gates）and Rebecca Muller: »*Bill Gates Spends Two Weeks Alone In The Forest Each Year. Here's Why.*« In: Thrive Global, 23. July 2018.（https://www.thriveglobal.com/stories/bill-gates-think-week/）

・目標達成までの三つの段階について。私は別の領域でも同じような前進の仕方を経験した。その領域とは、株のポートフォリオだ。

以前、私は毎日、ときには一時間ごとに株価を表示するｉＰｈｏｎｅのアプリを押していた。まあ、株式相場は、世界各地のニュースよりもいくらか自分に関連があるといえないこともない。なにしろ自分が一生懸命働いて手に入れたお金を投じているのだし、老後の資金にも影響する。

しかし、私はふいに気づいた。私のふるまいは問題行動すれすれだ。そして何より無駄でしかない。なぜなら私はアマチュアの投資家で、どのみち短期の市場の動きに興味はないからだ。一〇年、二〇年という長期の値上がりを見越して、私は株を買っている。それなのに、なぜ今日株価が一パーセント上がったり下がったりすることを気にしなくてはならないのだろう。

そのうえ、いわゆる「損失回避［得をすることよりも、損失をこうむることを避けようとする心理］」の影響で、損失は利益よりも二倍強く私たちの感情に作用する。株価は短期的には平均値あたりで頻繁に変動するため――その日の前半には上がって、その日の後半には下がる（気持ちのうえではこちらのほうが二倍強く感じられる）というように――、感情に与える正味の影響はマイナスだ。

それに気づいたとき、私は「アプリをチェックするのは週に一度だけ」と自分に強制することにした。毎週金曜の、市場の取引終了後以外は株価を見ないと決めたのだ。

最初のうちは、意志力を総動員しなくては、アプリを押そうとする指を抑え込むことはできなかった。けれども二か月も経つと衝動はおさまり、それほど意志力を使う必要はなくなった。いまでは株価をチェックすることを何週間も忘れているときすらある。別の言い方をすれば、私は第二段階に到達したのだ。第三段階は株式相場を嫌悪するようになることだが、おそらく私がそこに到達することはないだろう。

❻ おだやかなニュースダイエットのすすめ

・日刊紙の土曜版は平日版よりも薄いことが多いため、読むものを週刊新聞や雑誌のなかから選べない場合は、日刊紙の土曜版を読むことをおすすめする。

・私が徹底的な方法を好むのには明確な理由がある。質のよいメディアですら、残念ながらニュースに汚染されてしまっているからだ。充実した長文記事が大半の質のよい新聞でも、そうした真珠のような記事は、内容のないニュースの紙吹雪に取り囲まれている。私が純粋主義的なアプローチをとることにしたのはそのためだ。汚染された水源から出たものを、私は飲みたいとは思わない。

同じことはラジオやテレビの番組にも当てはまる。すばらしい内容のラジオ番組やテレビ番組があることは間違いないだろうが、三〇分ごとに、あるいは一時間ごとにニュースに中断されるのが不快なのだ。

もうひとつ、別のたとえを挙げておこう。あなたはハイキングに出かけるとする。ある決まった方向に向かうと、必ず天気に恵まれる。ところがもうひとつの別の方向に向かうと、ほとんどの時間はよい天気だが、一時間に一度は竜巻が起きる。あなたはどちらの方向へ向かうだろうか?

・これほど徹底的な方法を、私はなぜ支持するのだろうか? ニュースの消費を制限するだけでもよいのではないだろうか? しかしそれでは、ヘロインを使うのをほんの少し制限すれば問題ないと言っているのと同じことだ。それなのに、多くの人はニュースダイエットを極端すぎると考える。「禁煙しよう」と人にすすめるのも、かつては極端なことだった。だが今日(こんにち)では、誰もがその正当性を理解しているではないか。

❼ ニュースはあなたとは「無関係」である　その①

・私は、地域の天気予報はニュースのうちに数えていない。傘を持って出るべきかどうかというのは、実用的で意味のある情報だ。幸いにも、天気を知るにはそれ専用のアプリがある。天気予報にたどり着くために、ニュースのごみのなかを歩いていく必要はない。

・重要な出来事を見つけ出し、フィルターにかけることに、ジャーナリストはどのくらい長けているのだろう？その答えを示す、インターネットブラウザの「モザイク」よりももっと古い例もある。

一九一四年にオーストリアの王位継承者がサラエボで殺害された事件は、世界に与える影響の大きさから、ほかのあらゆるニュースを凌駕した——あとから振り返ればそう考えたくなるのも無理はない。だが当時サラエボの殺人事件は、世間で売りに出されていた数えきれないほどのニュースのひとつでしかなかった。この事件をきっかけに世界大戦が勃発するなどと考えた新聞は、ただのひとつもなかった。

・「重要なことVS新しいこと——それこそが、現代に生きる私たちの戦いの本質なのである」という主張について。大げさに聞こえるかもしれないが、私は現在の世界において最も明確に区別すべきなのはこのふたつだと思っている。私自身の人生においては確実にそうだ。報道機関は知識や情報を売ると約束しておきながら、はるかに浅薄な何かを提供している。私たちはそろそろそれに気づいてもいいころだ。

ニュースから「重要」というオーラをはぎ取ってもいいころだ。ニュースと重要性とは別のものだ。ときどきそれらがわずかに重なることはあるが、ほんの一時的なものにすぎない。もちろんメディアのほうでは、あらゆる手段を使ってニュースは重要なものだというオーラを保とうとするだろうが。

ただし私は、昼夜を通して重要なことだけに取り組むべきだと言いたいわけではない。そんな人生は耐え難いだろう。それでは厳格なキリスト教一派の牢獄に精神を閉じ込めておくようなものだ。

無鉄砲なことをして、人生を楽しもう。はめをはずし、調子にのって、とっぴなことや無駄なことをしてみよう。けれどもそうしていいのは、人生の本質から外れていることに関してだけだ。人生の中心的な要素——健康、キャリア、人間関係、老後の資金など——に関しては、エネルギーや時間を関係のないことに浪費すべきではない。

・何が重要かは、個人が決めることだ。多くの人はそれを忘れている。私はこうした決断の自由は、言論の自由と同じくらい本質的なことだと思っている。

ニュースの台風のただなかにいながら、遠くの国のクーデターが自分にとって重要ではないと決断するのも、個人の自由だ。確かに、意図的に「世界のニュース」を無視するにはある程度のずぶとさが必要だが、九九パーセントの人が重要だと思っていることをあなたが重要だと思わないからといって罪悪感を覚えることはない。何が重要かは個人が決めることだ。

・ニュースをフィルターにかけて、自分個人にかかわりのあるニュースだけを読むという解決策もある。あなたがニュースの仕分けを自分のアシスタントにでもゆだねることができるのなら、いいアイディアだ。

しかし私たちのほとんどには個人的なアシスタントなどついていない。私たちは自分で台風のただなかに立たねばならない。ニュースをフィルターにかけはじめたとたん、私たちはニュースを消費することになる。つまり、ニュースダイエットをするよりほかに方法はないのだ。

・いまではあなたは、自分にとってニュースを消費することは、ただの娯楽のようなものだときちんとした論拠をもって主張することができるだろう。そしてそう思っているのなら、実際口に出してそう主張するといい。テレビのニュースを見るときも、自分はただ楽しみのためだけにそれを見ているのだとわかっていれば、なんの問題もない。

たとえばハリウッド映画を見に映画館に出かけるとき、あなたにはこれから二時間、娯楽作品を鑑賞するのだという自覚がある。小説を読むときも、それを読むのは自分の楽しみのためだということがわかっている。だが地球の反対側でふたりの著名な政治家が互いに握手の手を差し伸べている映像を見る場合、あなたにはそれが娯楽作品だと判別できないのではないだろうか。ニュースを見ると、これは何か重要なことなのだと無意識のうちに思わされてしまう。

この反応を心のなかでなんとか無効にできる方法がないかと、私は真剣に考えている。ニュースサイトを見て回るより、もっと楽しめて害の少ないものは山ほどあるのだから。

・一九九三年に起きた出来事のなかで、のちに与えた影響が最も大きかったのは、最初のグラフィックベースのインターネットブラウザ「モザイク」が登場したというニュースだろう。

マイクロソフトウィンドウズ版のモザイク1・0は、一一月一一日にリリースされた（https://en.wikipedia.org/wiki/Mosaic_(web_browser)）。一九九三年一一月一一日のドイツのテレビニュース「ターゲスシャウ」ではどんな内容が報じられていたのだろう？　フォルクスワーゲンが週休三日制導入について協議。鉱山労働者が政府の石炭政策に抗議。連邦首相官房で教育システム改善のための会議を開催。ウィーン・ドルトムント間の夜行列車でふたりの国境警備警察官が射殺される。ローマ教皇、ヨハネ・パウロ二世が肩関節を骨折（https://www.tagesschau.de/multimedia/video/video1349618.html）。まあ、ひょっとしたらカリフォルニアとの時差のせいで、夜のニュースに間に合わなかったのかもしれない。

その次の日の「ターゲスシャウ」、つまり、モザイクがリリースされた翌日の内容も見てみることにしよう。鉄道改革（東ドイツの国有鉄道を西ドイツの鉄道に統合）。ドイツの政党助成制度改革。イスラエルのラビン首相がクリントン大統領を訪問。マフィア撲滅に尽力したイタリアの裁判官、ファルコーネを殺害した犯人が確定。「インターネットブラウザ」についてのニュースはどこにもない（https://www.tagesschau.de/multimedia/video/video1350580.html）。スイスのメディアでも、アメリカやイギリスのメディアでも、状況は同じだ。

・ニュースが私たちとは無関係だという指摘は、新しいものではない。一八七七年に出版されたトルストイの傑作『アンナ・カレーニナ』で、登場人物のひとり、作家のセルゲイ・イヴァノヴィチはこんなふうに述べている。「……新聞が無益なことや大げさなことを数多く印刷するのは、ただ単に自分たちに注意を向けさせ、大声をあげてほかを圧倒するためだ」。

・ニュースは誰にとって直接かかわりがあるのだろう？　ニュースジャーナリストだ。彼らはほかの地域では何がニュースになっているのかを把握して、そのうちのいくつかを自社メディアでも報じるべきかどうかを判断しなくてはならない。起きた出来事について、ほかのジャーナリストやメディアがどんなふうに書いているかを知らなくてはならない。どんな一面記事が特に注目を集めるかを（ライバルメディアに関しても）わかっていなくてはならない。ニュースで報じられている情報は、完全にニュースジャーナリストの「能力の輪」の内側にあるのだ。

ニュースはつまり、部分的には自己言及システムなのである。ニュースを消費しなくてはならない職業は、ニュースジャーナリスト以外にほとんどない。そのほかに考えられるのは、政治家や外交官くらいだ（ただし、自国や駐在国に関係のあるニュースに限るが）。それ以外の職業の人は全員、ニュースダイエットをすることにうしろめたさを感じる必要はない。

・人は、自分の人生を世界の出来事から切り離すことができるのだろうか？　そうすることに問題はないのだろうか？　あらゆることがあらゆるものと網目状に結びついているとしたら、すべての出来事は自分の人生に影響を及ぼすはずだ。そう考えると、無関係に見える出来事でも、実は重要な出来事ということになる。

たとえば、テヘランで起きた政治デモが大規模な暴動に発展したとしよう。その暴動は、イランの周辺諸国まで不安定にするかもしれない。ひょっとしたらイランの原油生産量が増加したり減少したりして、あなたが個人的に払わなくてはならない暖房用の石油価格といった身近なことにまで影響が出るかもしれない。そうなると、ほかの大陸で起きたデモが実際にあなたの人生に影響を及ぼすことはある、ということになる。しかしこの論証は、最後まで考え抜かれているとは言い難い。

基本的にこの論法は「アマゾンのどこかで一羽の蝶がはばたくと、カンザスで竜巻が起きる」という「バタフライ効果［小さな出来事が、やがて無視できないほどの大きな出来事に変化していく現象］の論理」と変わらない。もちろん、一羽の蝶のはばたきがカンザスの天候に影響するまでの因果の連鎖を具体的に思い描くことは可能だし、その過程を想像するのはさほど難しいことではない。そして実際に、蝶のはばたきがカンザスの天候に影響を及ぼす可能性はゼロではない。

　しかし残念ながら、世界には数十億もの蝶がいて、そのどれもがカンザスの天候になんらかの影響を及ぼす可能性を持っている。同様に、暖房用の石油価格になんらかの影響を及ぼせる要素も、デモ以外に数十億はある――オーストラリアで木が倒れても、アフガニスタンの道路脇で犬が小便をしても、因果が連鎖した結果、石油価格の変動につながるかもしれない。要するに、「バタフライ効果の論理」――あらゆるものがあらゆるものと網目状に結びついているという――をもとに論証をしても、あまり意味はないということだ。

　時折私は、ニュースを消費すれば裕福になれる場合もあるという、投機に関する論理を聞くこともある。たとえば、テヘランのデモが原油価格の上昇につながるという因果関係に最初に気がつけば、それで多額のお金を稼げるというのだ。つまり、先物取引［特定の商品を、未来の決められた日に事前に決めた金額で売買することを約束する取引］で利益を得られるという論理である。

　しかし、あなたがその因果関係に気づく最初の人物になることなど、現実にはあり得ない。そうした因果関係を予測して資金を動かすことを仕事にしている、いわゆるマクロトレーダー［金利や経済政策などの世界的動向をもとに取引をするトレーダー］と呼ばれる人たちは、一万人もいるのだ。あなたが証券会社に電話をして原油のコールオプション［あらかじめ決められた金額で商品を買う権利］を買うころには、すでに手遅れになっている。

　それに有価証券を購入できるということは、あなたとは真逆のことをしている誰かがいるということだ。原油価格の上昇を見越して有価証券を買おうとしても、それを売る誰かがいなくては、あなたはその有価証券を買うことができない。その誰かもやはり慎重に考えて――そして、原油価格は下落すると予測したのだ。地政学上の変化を見越して投機をするのは非常に難しい。運よく成功する場合もあるだろうが、一〇年間などの長期にわたって利益をあげている人を、私は誰も知らない。

・スター投資家のチャーリー・マンガーとウォーレン・バフェットでさえ、こんなふうに忠告している。「気をつけたほうがいい。予言者用の墓地には、マクロ経済の予測をする者のために広大な区画が用意してある」。

もうおわかりいただけただろう。ニュースを消費したところで、お金を稼ぐという安易な楽しみの役にすら立たないのだ。

・もっと痛烈なニュースダイエットへの反論としては、「時代の兆候」の論理というのもある。具体的な内容は次のとおりだ。

いまが一九三八年で、あなたはユダヤ人で、ベルリンに住んでいるとしよう。ニュースを断っているユダヤ人は、迫り来るナチズムの危険を予測できずに、自分と家族の命を危険にさらすことになる。それに対して日々ニュースを消費しているユダヤ人は、早い時期に危険を察知し、まだ時間の猶予があるうちに行動を起こすことができる。そうならないことを願いたいが、またそういう時代が来ることもあるのではないだろうか？そしてもしそうなったとしたら、生き延びるには最新のニュースを知ることが不可欠になる。つまりニュースダイエットは、あなたとあなたの家族を破滅に導く可能性がある、というのが「時代の兆候」の論理だ。

しかしこの論理の問題は、学術的な裏づけがないということだ。生存の確率とニュースの消費との関連性を分析した研究結果は存在しない。もしも現在のようにドイツに住むほぼすべての人（ユダヤ系の住民も含めて）が当時ニュースを消費していて、それにもかかわらず六〇〇万人ものユダヤ人が命を落としたのだとしたら、ニュースの意義を認め、弁護する力はこの論理にはない。

しかし、たとえ三〇年間ニュースを完全に断っていた人が当時いたとしても、何が起きているかは歴然としていたはずだ。反ユダヤの法律が公布され、ユダヤ人の店が破壊され、高い地位にあったユダヤ人が解雇されていたのだ。ユダヤ人排斥のプロパガンダもいたるところで目にしただろう。時代の兆候は明らかだった。

人々はただ、さまざまな個人的事情から（なかにはどうしようもない事情も含まれていた）行動する決断を下すことができなかったのだ。

「時代の兆候」の論理は根拠にはならない。社会が再び暗い時代に向かったとしても、あなたはその兆候を間違いなく察知できると考えていい。それどころかニュースがないほうが、ホワイトノイズのようなニュースに囲まれているよりも時代の兆候はもっとよく把握できるだろう——そうした時代のニュースは、どのみちプロパガンダで溢れているだろうから。

・そして最後に、私が頻繁に耳にする反論が「資産管理」の論理だ。

ひょっとしたらあなたは自分の資産の一部を、たとえば株のような有価証券に投資しているかもしれない。ニュースを消費せずに、合理的な投資の決断をするにはどうすればいいだろう？　答えは簡単だ。ある企業に関するニュースが光ファイバーケーブルに吸い込まれたときには、すでに株価はそのニュースに応じた値動きを見せている。プロのトレーダーは、常にあなたよりも一歩先んじているからだ。

あなたが、たとえば『ノイエ・チュルヒャー・ツァイトゥング』紙や『南ドイツ新聞』の国際面に掲載されている内容豊かな記事のおかげで、プロのトレーダーより世界をもっとよく理解できていると考えているとしたら、それはあなたの思い違いだ。投資銀行や商社やファンドマネジャーは大勢の、多くの場合は数百人規模の経済の専門家チームを抱えている。聡明さの点であなたが彼らに劣るというわけではないが、彼らはマクロ経済について思考をめぐらせる以外のことはしていないし、それが彼らの「能力の輪」でもある。それに彼らは高額な専門ニュースプロバイダーに助けを求めたり、独自のリサーチを参考にしたりもできる。あなたがどれだけ多くの新聞を読もうが、彼らと競り合うのは不可能だ。ニュースを消費せずに自分の頭で考えるほうが、まだ彼らに近づける可能性はある。要は、お金に関する決断を下すときの基盤としては、ニュースは役に立たないのだ。

著名な金融ライターだった、ジョー・グランビルの言葉を引用しておこう。彼はすでに、一九七六年にこう警告を発している。「ニュースにしたがうと、トレーダーや投資家は、そのほかのどんな要因による失敗よりももっと大きな問題を抱えたり、間違った決断をしてもっと大きな損失を出したりすることになる。ニュースに強く影響されると、たいていの人は迷宮で道を失い、経験豊富な投資家たちのしていることが見えなくなってしまうのだ。（中略）……ニュースはだまされやすいカモのためのものだ」。»The late Joe Granville wrote in *Granville's New Strategy of Daily Stock Market Timing for Maximum Profit* (1976)... ›Traders and investors get into more trouble and make more expensive wrong decisions by following news than for any other reason. So heavily influenced by the news, the majority get lost in the maze, unable to see what the smart money is doing. News is also important to the smart money because they understand the role news plays in the market game, and they can usually act more effectively under the protective cover of news. They know that the news misleads the opposing game player into selling them stocks when the smart money wishes to buy and into buying their stocks when the smart money decides that the time has arrived for distribution. As a market aid, *news is of little value in playing the market game successfully. News is generally for suckers*. It misleads more often than it guides. It creates mistimed fears which provoke selling at the wrong time and raises hope which encourages the buying of stocks at the wrong time‹ (emphasis added).« Faber, Marc: *Market Commentary*, 1. November 2019.

・»We take our smartphones with us everywhere, checking for news constantly – as if not being connected all the time would mean we're going to miss out on something really important.‹ (Christensen, Clayton M.: *How Will You Measure Your Life?*, HarperBusiness, 2012, P. 91.『イノベーション・オブ・ライフ　ハーバード・ビジネススクールを巣立つ君たちへ』クレイトン・M・クリステンセン著、翔泳社、二〇一二年）

❾ ニュースは「能力の輪」の外にある

・私はぜいたくにも、宇宙物理学や細胞生物学や数学や歴史の本などを読んでいる。必ずしも、私の人生や職業に関する決断の質を上げるのに役立つテーマとは言えない。私がニュースの消費を拒む判断基準を、本を読むことにも適用するとすれば、これらの本を読む必要はないということになる。この指摘はなかなか鋭い。実際ほとんどの本は、「狭義」には重要だとは言い難い。ここでいう「狭義」とは、「読み終えたあとに前よりもよい決断ができるようになっているか」という基準を指している。

　しかしそれ以外に「広義」の重要さというのもある。「読み終えたあとに前よりも世界をもっとよく理解できるようになっているか」というのがその基準だ。ニュースは明らかにこの基準に合致しない。世界を理解したようにあなたを錯覚させるのがせいぜいだ。

　それに対して良質な本は、世界への理解を深めてくれる。本に対するこの判断基準は、何かを伝えるための表現手段すべてに当てはまる――演劇にも、音楽にも、視覚芸術に対しても。ベートーベンもゴッホもシェークスピアも、あなたの人生やキャリアに関する決断の質を上げる役には立たない。それでも彼らの作品を通して、あなたは世界に対する理解を深められたり、ときには言葉では表せない何かを理解できたりする（そうでなければ音楽や美術などの芸術のジャンルが存在するわけがない）。つまり見方を変えれば、中身のあるものとないもの、内容の豊かなものと乏しいものの違いということだ。

・Elena Holodny: »Isaac Newton was a genius, but even he lost millions in the stock market.« In: *Business Insider*, 10. November 2017. (https://www.businessinsider.com/isaac-newton-lost-a-fortune-on-englands-hottest-stock-2016-1)

・「独り勝ち」現象については次を参照のこと。Dobelli, Rolf: *Die Kunst des guten Lebens*, Piper, 2017, P. 281.

（『Think clearly　最新の学術研究から導いた、よりよい人生を送るための思考法』ロルフ・ドベリ著、サンマーク出版、二〇一九年）

・あなたが会社の経営者だったとしたら、自分の会社がどのように報じられているかを把握したいと思うに違いない。その場合はクリッピングサービス〔企業が必要とする情報をニュース媒体から収集し、提供するサービス〕を利用するといい。コストをかけたくなければ、グーグルアラートもある。ニュースビュッフェのなかをくぐり抜けながら必要な情報を探す必要はない。

⑩ ニュースは「リスク」を誤って評価する

・橋の崩落の例は、ナシーム・タレブが考案したものである（個人的なやり取りより）。

・感動的な話、どぎつい写真、衝撃的な事件、風変わりな人物——一七世紀にはすでに発行人（当時ニュースを発行していたのは印刷業者だけだった）たちは、センセーショナルな出来事を掲載すれば読者の注意を引きつけられ、じゅうぶんな利益をあげられることに気づいていた。その点は、今日（こんにち）にいたるまで変わっていない。»The broadsheets concentrated on the most arresting cases, such as the man who allegedly disguised himself as the Devil to commit his crimes. Cases like this shaded easily into the wider literature of sensational and supernatural events that were the stock in trade of the news broadsheets. Publishers and woodcut artists turned out a steady diet of monstrous births, strange animals, unusual weather events and natural disasters. Earthquakes and floods were chronicled with some care. By far the most popular with the buying public were tales of celestial apparitions. These could be meteors or comets, or the vision of an armed man, a flaming cross, or horsemen riding through the sky ... Comets and other heavenly perturbations were widely interpreted as portents of future calamities.« (Pettegree, Andrew: *The Invention of News : How the World Came to Know About Itself*, Yale University Press, P. 91.)

・ジョディ・ジャクソンの著書『*You are What You Read*（何を読むかであなたという人が決まる）』（未邦訳）に誤ったリスクマップのよい例が紹介されている。»If we were to compare news reports about crime and violence with statistics about crime and violence, we would see that the frequency with which these stories are reported is not representative of how frequently instances of violence and crime actually take place. The Office of National Statistics in the UK conducted a survey in 2016 to measure the perception of crime against the reported cases of crime. Although crime reports have been falling since 1995, 60 per cent of people in England and Wales said they believed that it had gone up in the last few years.« (Jackson, Jodie: *You Are What You Read, Why Changing Your Media Diet Can Change The World*, Unbound Publishing, 2019, P. 61.) この文章で言及されている調査結果に関しては次を参照のこと。https://www.ons.gov.uk/peoplepopulationandcommunity/crimeandjustice/articles/publicperceptionsofcrimeinenglandandwales/yearendingmarch2016

 ニュースは「時間の無駄」である

・ピュー研究所は、二〇一〇年に平均的なアメリカ人がニュースに費やした時間を、一日七〇分と見積もっている。（http://www.people-press.org/2010/09/12/americans-spending-more-time-following-the-news/）

ニュースの消費時間は年を追うごとに増加傾向にある。この七〇分間の内訳はテレビニュースが三二分、ラジオニュースが一五分、新聞が一〇分、ネットニュースが一三分となっている。ニュースの消費時間は高学歴

の人ほど長く、大卒者は一日あたり九六分もニュースに費やしている。ニュースを読むこと自体に浪費されている時間は平均七〇分だが、そのほかにニュースに気を逸らされたあと再び集中するまでの時間と、ニュースの小片が繰り返し頭に浮かんで日常生活の邪魔をされることで失われている時間も無駄になっている。

・セネカの言葉。»In guarding their fortune men are often closefisted, yet, when it comes to the matter of wasting time, in the case of the one thing in which it is right to be miserly, they show themselves most extravagant.« *De Brevitate Vitae*, Ch. 3 (trans. Damian Stevenson).

⓬ ニュースは「理解」を妨げる

・情報は多いほうが（「事実を、事実を、もっと事実を」）決断の質が上がるという思い込みを報道機関が後押しするのは、そのほうが自分たちに都合がいいからだ。

しかしあなたが会社の経営者だったとしたら、従業員たちの私生活すべてを把握するためにいくら払うだろう？　彼らの生活の隅から隅まで、ひとつ残らず知るために。そう訊くと、たいていの人はゼロより大きい額を言う。だが私の場合、支払う額はマイナスだ。従業員の政治的な見解や、彼らの子どもの教育についてや、神経症の症状や、彼らが経験したことや、性生活や、彼らが見た夢について知っても、彼らと一緒に働くうえでは邪魔にしかならない。最終的には、会社にも私自身にも悪影響を及ぼすだろう。情報は少ないほうが、得るものは大きい場合が多いのだ。

・»People often think that the best way to predict the future is by collecting as much data as possible before making a decision. But this is like driving a car looking only at the rearview mirrors – because data is only available about the past.« (Christensen, Clayton M.: *How Will You Measure Your Life?*,

HarperBusiness, P. 14.『イノベーション・オブ・ライフ　ハーバード・ビジネススクールを巣立つ君たちへ』クレイトン・M・クリステンセン著、翔泳社、二〇一二年）

・遠い昔に出版された本（一九一九年）のとびらに書かれている言葉。オーストリアの作家、カール・クラウスは、事実を並べることと理解することの矛盾した関係をこんなふうにあてこすっている。「視野の狭い私は以前、こんな見出しが掲載されている新聞を読みそこねた。一八六九年にもたれたオーストリア・フランス・イタリアの秘密交渉、ペルシアの改革運動、クロアチアの局長任命、オスマントルコ対モナスティルの首都大司教……。だがこの新聞を読まずにすんだおかげで、私の視野は広がった」。（Kraus, Karl: *Ich bin der Vogel, den sein Nest beschmutzt*, Matrix-Verlag, 2013, P. 81.）

・「機械室」を理解することについて。»... much of what we need to understand a situation is not ›new‹. We need a deeper knowledge of the context to inform our understanding of why the new events have occurred. The situation in Afghanistan makes no sense without an appreciation of the culture and history of the region. The latest warning of a future climate effect makes no sense unless you understand how we know anything about how the climate operates and how it has already changed. Understanding the forces driving the Arab Spring requires a background in the breakup of the Ottoman Empire and the responses to the Colonial adventurism that followed. Unfortunately, this context is not in the least bit newsworthy. The gap between new and old is widening, and that should be profoundly worrying. It's as if we had a populace that was well informed about the score of a game but knew nothing about the rules and, worse, had no inclination to find credible sources to explain them. Public discussions often devolve to mere tribalism; it is far easier to base decisions on who supports what than to delve into an issue yourself. Any efforts to make it easier to access depth and context must therefore be applauded and extended. New online tools can be developed to scaffold information by providing entry points appropriate for any level of knowledge. Context buttons alongside online searches could direct the interested to the background information. But unless we start collectively worrying about this, nothing will change, and our society's ability to deal with complexity in a rational way will continue to decline.« (Schmidt, Gavin: *The Disconnect between News and Understanding*, NASA's Goddard Institute for Space Studies. In: Brockman, John: *What Should We Be Worried About?*, 2014 Kindle-Location 4443.)

・トーマス・ジェファーソンの言葉の原文。»The man who reads nothing at all is better educated than the man who reads nothing but newspapers.« (http://www.journalism.org/2008/10/10/a-continuum-of-condemning-the-press/#fn2)

・»Numerous studies have shown that increasing information leads to increased overconfidence rather than increased accuracy. For instance, Slovic asked bookmakers to select information they would like to know in order to work out the odds on a horse race. They were then given increasing amount of information and asked for their prediction and their confidence in those predictions. Whilst accuracy was pretty much a flat line regardless of information, confidence was strongly increased with the amount of information. So all that happened was the extra information made the bookies more and more overconfident without improving their performance at all.« (http://papers.ssrn.com/sol3/papers.cfm?abstract_id=881760)

・「何が起きているかは誰にもわからない。なのに新聞は、毎日それがわかっているようなふりをする」。(Frisch, Max : *Montauk*, Suhrkamp Verlag, 1975, P. 36.)

 ニュースは「体に毒」である

・ストレス反応についての記述は、サポルスキー、クレイ&マッキイエンの「グルココルチコイド過剰理論」をもとにしている。この理論によると、心理的な有害因子は視床下部にアドレナリンを放出させ、アドレナリンが放出されると、脳の機能（記憶力や意志力）を低下させるコルチゾールが上昇するのだという。次を参照のこと。Sapolsky, Robert & C. Krey, Lewis & McEwen, Bruce（1986）: »The neuroendocrinology of stress and aging: the glucocorticoid cascade hypothesis«. In: *Endocrine reviews*, 7, P. 284-301. 10.1210/edrv-7-3-284.

・ネガティビティ・バイアスについては次を参照のこと。https://en.wikipedia.org/wiki/Negativity_bias

・ニュースの消費（主にネットニュース）を原因とするストレス症状を訴える人がいることは、調査で明らかにされている。»A recent survey from the American Psychological Association found that, for many Americans, ›news consumption has a downside‹. More than half of Americans say the news causes them stress, and many report feeling anxiety, fatigue or sleep loss as a result, the survey shows. Yet one in 10 adults checks the news every hour, and fully 20% of Americans report ›constantly‹ monitoring their social media feeds – which often exposes them to the latest news headlines, whether they like it or not … Davey says today's news is ›increasingly visual and shocking‹, and points to the inclusion of smartphone videos and audio clips as examples. These bystander-captured media can be so intense that they can cause symptoms of acute stress –like problems sleeping, mood swings or aggressive behavior – or even PTSD, he says.«（https://time.com/5125894/is-reading-news-bad-for-you/）»Some of Davey's research has shown that negative TV news is a significant mood-changer, and the moods it tends to produce are sadness and anxiety. ›Our studies also showed that this change in mood exacerbates the viewer's own personal worries, even when those worries are not directly relevant to the news stories being broadcast‹, he says.（出典は前に同じ）« このことに関する学術研究もある。M. Johnson, Wendy & Davey, Graham (1997): »The psychological impact of negative TV news bulletins: The catastrophizing of personal worries.« In: *British Journal of Psychology* (London, 1953), 88 (Pt 1), P. 85–91. 10.1111/j.2044-8295.1997.tb02622.x. Abstract: »This study investigated the effect of the emotional content of television news programmes on mood state and the catastrophizing of personal worries. Three groups were shown 14-min TV news bulletins that were edited to display either positive-, neutral- or negative-valenced material. Participants who watched the negatively valenced bulletin showed increases in both anxious and sad mood, and also showed a significant increase in the tendency to catastrophize a personal worry. The results are consistent with those theories of worry that implicate negative mood as a causal factor in facilitating worrisome thought. They also suggest that negatively valenced TV news programmes can exacerbate a range of personal concerns that are not specifically relevant to the content of the programme.«

・次も参照のこと。Unz, Dagmar & Schwab, Frank & Winterhoff-Spurk, Peter (2008): »TV News – The Daily Horror? Emotional Effects of Violent Television News.« In: *Journal of Media Psychology: Theories, Methods, and Applications*, 20, P. 141–155. 10.1027/1864-1105.20.4.141. Abstract: »In two studies we examined the influence of violent television news on viewers' emotional experiences and facial expressions. In doing so, we considered formal and content aspects of news reports as well as viewers' gratifications as independent variables. Analyses showed that violence in TV news elicits primarily negative emotions depending on the type of portrayed violence. Effects of presentation mode and of expected gratification on the viewers' feelings are traceable. On the whole, fear is neither the only nor the most prominent emotion ; rather, viewers seem to react to violence with ›other-critical‹ moral emotions, including anger and contempt, reflecting a concern for the integrity of the social order and the disapproval of others. Emotions shown in reaction to the suffering of others, like sadness and fear, occur much more rarely. The results largely show a complex web of relations between media variables, viewers' characteristics, and emotional processes.«

・二〇〇一年九月一一日の同時多発テロに関する調査で、メディアの消費（ワールドトレードセンターに関するテレビ報道）と心的外傷後ストレス障害（ＰＴＳＤ）の関連性が指摘されている。Blanchard, E. B.; Kuhn, E.; Rowell, D. L.; Hickling, E. J.; Wittrock, D.; Rogers, R. L.; Johnson, M. R.; Steckler, D. C.: »Studies of the vicarious traumatization of college students by the September 11th attacks: effects of proximity, exposure and connectedness.«（https://pubmed.ncbi.nlm.nih.gov/14975780）In: *Behaviour Research and Therapy*, Volume 42, Issue 2, February 2004, P. 191.

・「先延ばし」については次を参照のこと。Dobelli, Rolf: *Die Kunst des klugen Handelns*, Hanser, 2012, P. 149.（『Think Smart　間違った思い込みを避けて、賢く生き抜くための思考法』ロルフ・ドベリ著、サンマーク出版、二〇二〇年）

・心配ごとをコントロールする方法については次を参照のこと。Dobelli, Rolf: Die Kunst des guten Lebens, Piper, 2017, P. 283 ff.（『Think clearly　最新の学術研究から導いた、よりよい人生を送るための思考法』ロルフ・ドベリ著、サンマーク出版、二〇一九年）

⓮ ニュースは「思い違い」を強化する

・「確証バイアス」については次を参照のこと。Dobelli, Rolf: *Die Kunst des klaren Denkens*, Hanser, 2011, P. 29-36.（『Think right　誤った先入観を捨て、よりよい選択をするための思考法』ロルフ・ドベリ著、サンマーク出版、二〇二〇年）

⓯ ニュースは「後知恵バイアス」を強化する

・「後知恵バイアス」については次を参照のこと。Dobelli, Rolf: *Die Kunst des klaren Denkens*, Hanser, P. 57-60.（『Think right　誤った先入観を捨て、よりよい選択をするための思考法』ロルフ・ドベリ著、サンマーク出版、二〇二〇年）

・ナシーム・タレブは理由をひとつに絞り込まざるを得ないジャーナリストたちについてこう言及している。

»One day in December 2003, when Saddam Hussein was captured, Bloomberg News flashed the following headline at 13:01: U. S. TREASURIES RISE; HUSSEIN CAPTURE MAY NOT CURB TERRORISM. Whenever there is a market move, the news media feel obligated to give the ›reason‹. Half an hour later, they had to issue a new headline. As these U. S. Treasury bonds fell in price (they fluctuate all day long, so there was nothing special about that), Bloomberg News had a new reason for the fall: Saddam's capture (the same Saddam). At 13:31 they issued the next bulletin: U. S. TREASURIES FALL; HUSSEIN CAPTURE BOOSTS ALLURE OF RISKY ASSETS. So it was the same capture (the cause) explaining one event and its exact opposite. Clearly, this can't be; these two facts cannot be linked.«

(Taleb, Nassim Nicholas: *The Black Swan: The Impact of the Highly Improbable*, Penguin Books Ltd, 2007, Kindle-Version POS 1795『ブラック・スワン　不確実性とリスクの本質』ナシーム・ニコラス・タレブ著、ダイヤモンド社、二〇〇九年)

・「Xという理由から」のような現実に即さない論証の一種としては、「基準比率の無視」と呼ばれるものもある。

たとえば、あなたはスイスのチューリヒ付近に出かけていて、トムという男性と知り合ったとしよう。トムはやせ型でめがねをかけていて、モーツァルトを好んで聴いている。質問。トムの職業は、次のどちらである可能性が高いだろう？　(a)チューリヒの大学の文学部教授、あるいは、(b)トラックの運転手。

あなたがたいていの人と同じように考えたとしたら、あなたが選んだのは文学部の教授だろう。だが実際には、トムはトラックの運転手である可能性のほうがずっと高い。チューリヒに文学部の教授は四人ほどしかいないが、トラックの運転手はチューリヒ周辺に約四万人もいるからだ。この思考の誤りは、心理学では「基準比率の無視」と呼ばれている。

一体、何が起きたのだろう？　私たちは、やせ型、めがね、モーツァルトというトムのイメージに引きずられてしまい、「こういうタイプの男性は何人くらいいるのだろう？」ということにまで考えが及ばなかったのだ。私たちの脳は、この種の問いかけをしたがらない。数や統計や基準比率を嫌っているからだ。しかし私たちの脳はエピソードや逸話や個々の実例や人物描写や物語には目がない。私たちは逸話にもとづいた決断はしても、統計にもとづいて決断を下すことはない。逸話やエピソードよりも（完全な）統計のほうが、決断の際にはずっと客観的なイメージをもたらしてくれるというのに。逸話は真実ではないのだ。

ニュースがなくてもこの思考の誤りに陥ることはあるが、ニュースを消費すると急激にその頻度は増える。なぜならニュースは、逸話を供給するものだからだ。ジャーナリストの落ち度でそうなっているわけではない。ジャーナリストは新聞やラジオやテレビのニュース番組を、統計をもとに世界を客観的に描写する形でつくることができないのだ。メディアの消費者が求めているのは統計ではない。消費者が求めているのはエピソードであり、個々の実例であり、逸話である。新聞は消費者の要望を無視するわけにはいかないし、ジャーナリストも消費者の要望を無視して記事を書くことはできない。

ところで、医者の卵たちは、医学部で学んでいるあいだにトレーニングを重ね、「基準比率の無視」に陥るのを避けられるようになる。アメリカで医者を目指す人は、誰もがこんな文句をたたき込まれるという。「ひづめの音を聞いて白と黒の縞模様を見たように思えても、それがワイオミングならその動物はおそらく馬だ」。つまり、めったにない病気の予測を立てるより、まずは基本的な可能性に目を向けるべきだということだ。「基準比率」トレーニングをほどこされている職業分野は、残念ながら医者だけだ。ジャーナリストも、そしてそれ以上に私たちメディアの消費者も、そうしたトレーニングを切実に必要としていると思うのだが。

投資コミュニティにはこんな名言がある。「点から絞り出そうとするな」。たったひとつのデータポイント(点)が表していることなどほとんどないという意味だ。それなのに多くのジャーナリストやメディアの消費者は、点を大きく見せる(点から情報を絞り出す)誘惑に負けてしまう。その点を実際よりも重要なものに見せかけようと、ひとつのデータポイントやわずかなデータポイントから、ものごとの動向を読み取ろうとする。

たとえば戦争が勃発すると、突然、人類の歴史は戦争の歴史だという見方をされる。実際には、戦争の期間よりも平和だった時代のほうがずっと長いというのに。だが平和と違って戦争は目で見ることができる。あるいは、北朝鮮が大陸間弾道ミサイルを発射すると、北朝鮮の軍事力がアメリカと同等になったかのように報じられる――そのような解釈の仕方はもちろん馬鹿げているのだが。

あるいは、「ウォール街を占拠せよ」のような予想外の抗議運動が起こったときは、社会の左傾化がピークに達したかのような伝え方をされていた。しかしデモは数か月後にはひっそりと鎮静化していった。株式市場

について も、その歴史は株価の上昇と下落の繰り返しのような見方をされるが、好景気や恐慌が起きる頻度は市場が「通常の値動き」の範囲内で上下するよりもずっと少ない。逸話は真実ではない。ひとつの点からものごとの動向を読み取ることはできないのだ。

・先に挙げたモーツァルトファンの例の出典。Baumeister, Roy, F.: *The Cultural Animal: Human Nature, Meaning, and Social Life*, Oxford University Press, 2005, P. 206 f.

・「基準比率の無視」についての詳細は次を参照のこと。Dobelli, Rolf: *Die Kunst des klaren Denkens*, Hanser, 2011, P. 117-120.（『Think right　誤った先入観を捨て、よりよい選択をするための思考法』ロルフ・ドベリ著、サンマーク出版、二〇二〇年）

⓰ ニュースは「利用可能性バイアス」を強化する

・「利用可能性バイアス」については次を参照のこと。Dobelli, Rolf: *Die Kunst des klaren Denkens*, Hanser, 2011, P. 45-48.（『Think right　誤った先入観を捨て、よりよい選択をするための思考法』ロルフ・ドベリ著、サンマーク出版、二〇二〇年）

・「利用可能性バイアス」にはこんな例もある。ドイツ語には、Rではじまる単語とRで終わる単語のどちらの数が多いだろう？　答え。Rで終わる単語は、Rではじまる単語の倍の数がある。

この質問をされると、たいていの人は答えを間違える。その理由はなんだろう？　なぜなら、Rではじまる単語のほうが頭に浮かびやすいからだ。別の言い方をすれば、Rではじまる単語のほうが、より「利用可能」だということである。

・政治の世界やスイス政府で見られる「利用可能性バイアス」に関連して。どうやらほかの国々でも状況は同じらしい。「政治家は学術的な書物を読まない。彼らが読んでいるのはクリック・ベイトだ」とアメリカ人の准教授であるザッカリー・リプトンは警告している。»›Policymakers don't read the scientific literature‹, warned Lipton, ›but they do read the clickbait that goes around.‹ The media business, he says, is complicit here because it's not doing a good enough job of distinguishing between real advances in the field and PR fluff.« Giles, M.: »Artificial intelligence is often overhyped–and here's why that's dangerous.« In: *MIT Technology Review*, 13. September 2018.（https://www.technologyreview.com/s/612072/artificial-intelligence-is-often-overhypedand-heres-why-thats-dangerous/）

・コックピットに防弾のドアと鍵を取りつける同時多発テロの予防策の出典。Taleb, Nassim Nicholas: *The Black Swan : The Impact of the Highly Improbable*, Penguin Books Ltd, 2007, Kindle-Version POS 1795『ブラック・スワン——不確実性とリスクの本質』ナシーム・ニコラス・タレブ著、ダイヤモンド社、二〇〇九年）

・「たとえば空の旅について考えてみよう。航空機事故の件数は減少しつつある——二〇一七年にははじめて、四〇億人もが航空機を利用したにもかかわらず、墜落事故は一件も発生しなかった——しかしこの種の事故があるたびに、以前よりもはるかに多くの報道がなされる。そのため、多くの人は飛行機での移動はいまだに危険なものだと考えている」。Ridley, Matt: »Rosa Brille war gestern. Aber warum eigentlich sehen wir die Welt so gerne schwarz?« In: NZZ, 26. February 2019.（https://www.nzz.ch/feuilleton/pessimismus-es-ist-alles-viel-besser-als-wir-denken-ld.1460194）

・「予防」と「存在しないもの」を混同することについては、次の書籍に記されている、建設的ジャーナリズム〔ネガティブな報道の仕方から脱却し、ポジティブな報道を増やそうとするジャーナリズム〕とソリューションジャーナリズム〔報道するだけでなく、問題解決までの道すじを示すジャーナリズム〕に関する感銘深い声明も参照のこと。

Jackson, Jodie: *You Are What You Read, Why Changing Your Media Diet Can Change The World*, Unbound Publishing, 2019.

 ニュースは「意見の火山」を活性化させる

・「意見の火山」については次も参照のこと。Dobelli, Rolf: *Die Kunst des guten Lebens*, Piper, 2017, P. 189–193.（『Think clearly　最新の学術研究から導いた、よりよい人生を送るための思考法』ロルフ・ドベリ著、サンマーク出版、二〇一九年）

・マルクス・アウレリウス・アントニヌスの言葉の出典。Marc Aurel: *Wege zu sich selbst*, Fischer Klassik, 6. Buch, Satz 52.

・アメリカ人ブロガーのシェーン・パリッシュは次のようにまとめている。「私たちは静けさが怖いのだ。自分の考えと自分だけになるのが怖いのだ。レジに並んでいるときに携帯電話を取り出すのはそのためだ。自分自身に深い疑問を投げかけるのが怖いのだ。退屈が怖いのだ。この恐怖から逃れるために、私たちは無意味な情報を頭がおかしくなるほど消費している」»We're afraid of silence, afraid to be alone with our thoughts. That's why we pull out our phones when we're waiting in line at a coffee shop or the grocery store. We're afraid to ask ourselves deep and meaningful questions. We're afraid to be bored. We're so afraid that to avoid it, we'll literally drive ourselves crazy consuming pointless information.« In: Parrish, Shane: *Most of what you're going to read today is pointless*. (https://medium.com/@farnamstreet/most-of-what-youre-going-to-read-today-is-pointless-4b774acff368)

・マルクス・アウレリウス・アントニヌスの言葉。»You always own the option of having no opinion. There is never any need to get worked up or to trouble your soul about things you can't control. These things are not asking to be judged by you. Leave them alone.« (Aurel, Marc: *Meditations*, 6.52).

・予測や予報も、知ることが不可能なものに数えられる。「北朝鮮では二〇年後に政権交代が起きる」「アルゼンチンワインの人気はまもなくフランスワインの人気をしのぐだろう」「ユーロ圏は崩壊する」「一〇年後には誰もが宇宙空間を散歩できるようになる」「原油は一五年後に枯渇する」「一〇年後、ドイツの道を走る車の九〇パーセントは自動運転車になる」「日本は平均寿命が一〇〇歳に達する最初の国になる」。ニュースメディアは連日、私たちに予測の砲撃を浴びせかける。

こうした予測に関しては、問題がふたつある。まず、ほとんどの予測はあなたの「能力の輪」の外にあり、あなたにとっては重要な情報ではないということ。アルゼンチンワインの人気がフランスワインの人気をしのいだとして、それが一体なんだというのだろう？——あなたがたまたまワインの輸入業者やソムリエだったとしたら話は別だが。だがその場合、あなたはそのテーマについてニュースメディアよりも充実した内容を掲載している専門誌をどのみち購読しているだろう。それに、たとえあなたがワインの輸入業者やソムリエだったとしても、そしてその予測が偶然にも当たったとしても、あなたは世間の人々が何を飲むかということにまで影響を及ぼせない。格言にもあるとおり、「洪水を予測することは重要ではない。重要なのは方舟(はこぶね)をつくること」だ。

それなのに予測は奇妙に私たちを魅了する。その理由はなんだろう？　私にはわからない。予測に感銘を受ける心の琴線がどこにあるのか、私は把握していない。ただ経験上、予測はそれがどんな些末な内容だろうと、私の注意を奪ってしまうということはわかっている。だがニュースダイエットをしていれば、その危険からも逃れることができる。とにかく、未来について吹聴することは、クリックの数を増加させたいメディアの生産者にとっては都合がいいのだ。報じられる予測の数が増加傾向にあるのはそのためだ。

予測に関するふたつ目の問題は、その信頼性だ。予測は、実際にはどれほど信頼の置けるものなのだろう？少し前まで誰もその質を検証しようとした者はいなかった。だがフィリップ・テトロックがようやくその調査を実施した。

当時カリフォルニア大学バークレー校の教授だったテトロックは、二〇年間に出された二万八〇〇〇件の予測を評価した。しかし結果は、さいころを投げて予測をたてるのと変わらないくらいの的中率でしかなかった。このことは学術の世界では、「予測の幻想」と呼ばれている。

とりわけ的中率が低いことが判明したのは、よりにもよって、予測がメディアに露出する頻度が最も高い、大手メディアの予測の専門家たちだった――テトロックはこんなふうに述べている。「知名度と予測の質は、異様なほどの反比例の関係を示している」。ニュースジャーナリストには特に、間違った予測を発表する傾向があることが明らかになったのだ。しかし、その理由はわかっていない。いずれにせよ、私たちにとってはニュースを消費することへの警戒信号がもうひとつ加わったということだ。

・「予測の幻想」についての詳細は次を参照のこと。Dobelli, Rolf: *Die Kunst des klaren Denkens*, 2011, Hanser, P. 165-168.（『Think right　誤った先入観を捨て、よりよい選択をするための思考法』ロルフ・ドベリ著、サンマーク出版、二〇二〇年）

・予測に関する調査について記述した、テトロックの文章の抜粋。»Cumulatively they made 28000 predictions bearing on a diverse array of geopolitical and economic outcomes. The results were sobering. One widely reported finding was that forecasters were often only slightly more accurate than chance, and usually lost to simple extrapolation algorithms. Also, forecasters with the biggest news media profiles tended to lose to their lower profile colleagues, suggesting a rather perverse inverse relationship between fame and accuracy.« Phil Tetlocks University-Website: https://www.sas.upenn.edu/tetlock/

publications.

⓲ ニュースは「思考」を妨げる

・Carr, Nicholas: »The Web Shatters Focus, Rewires Brains.« In: *Wired*, May 2010.

・»Alvin Toffler sounded the first early warning more than 30 years ago. In his trailblazing book, *Future Shock* (Random House, 1971)(『未来の衝撃』アルビン・トフラー著、中央公論新社、一九八二年), Toffler theorized that the human brain has finite limits on how much information it can absorb and process. Exceed that limit and the brain becomes overloaded, thinking and reasoning become dulled, decision-making flawed and, in some cases, impossible. Even worse, he suggested, information overload will eventually lead to widespread physical and mental disturbances. He called this phenomenon ›future shock syndrome.‹« Lynott, William J.: »Could the Evening News be Bad for your Health?« In: *The Elks Magazine*, April 2003.

⓳ ニュースは私たちの脳を「変化」させる

・ロンドンのタクシー運転手に関する調査。Maguire, Eleanor A. & Wollet, Katherine & Spiers, Hugo J. (2006) : »London Taxi Drivers and Bus Drivers: A Structural MRI and Neuropsychological Analysis.« *Hippocampus*, 16, P. 1091-1101. (https://onlinelibrary.wiley.com/doi/abs/10.1002/hipo.20233)

・»Similar findings of apparently environmentally driven plasticity have been reported in several other groups including musicians, jugglers, and bilinguals (Munte et al., 2002; Gaser and Schlaug, 2003; Draganski et al., 2004; Mechelli et al., 2004). In these groups, positive correlations between gray matter and the time spent learning and practicing their specialization have also been found. Professional musicians show a greater increase in gray matter volume in motor and auditory areas (Gaser and Schlaug, 2003) and a frontal region (Sluming et al., 2002) the longer the time spent practicing and playing, as do early bilinguals in parietal cortex (Mechelli et al., 2004).«（出典は前に同じ）

・新しい幾何学的な図を覚えるテストに関しては次を参照のこと。Rey-Osterrieth Complex Figure Test: https://de.wikipedia.org/wiki/Rey-Osterrieth_Complex_Figure_Test

・Loh, Kep-Kee & Kanai, Ryota (2014): »Higher Media Multi-Tasking Activity Is Associated with Smaller Gray-Matter Density in the Anterior Cingulate Cortex.« In: *PloS one.*, 9. e106698. 10.1371/journal.pone.0106698.

・前帯状皮質については次を参照のこと。https://en.wikipedia.org/wiki/Anterior_cingulate_cortex

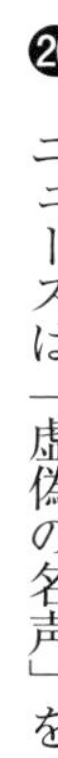

⑳ ニュースは「虚偽の名声」をつくる

・ドナルド・ヘンダーソンについては次を参照のこと。Alison F. Takemura: »Epidemiologist Who Helped Eradicate Smallpox Dies.« In: *The Scientist*, 22. August 2016. (https://www.the-scientist.com/the-nutshell/epidemiologist-who-helped-eradicate-smallpox-dies-32993)

・『ワシントン・ポスト』のリチャード・プレストンは天然痘の根絶についてこう記している。»I think it can be fairly said that the smallpox eradication was the single greatest achievement in the history of medicine.«（出典は前に同じ）

㉑ ニュースは私たちを実際よりも「卑小な存在」に感じさせる

・マイケル・マーモットの調査結果の出典。Marmot, Michael: *The Social Determinants of Health.* WORLD.MINDS 2014.（https://www.youtube.com/watch?v=h-2bf205upQ）

・人々の生活レベルに関するベルカーブについて。»Our lives today are filled with information from the extremes of the bell curve of human experience, because in the media business that's what gets eyeballs, and eyeballs bring dollars. That's the bottom line. Yet the vast majority of life resides in the humdrum middle. The vast majority of life is unextraordinary, indeed quite average.«（Manson, Mark: *The Subtle Art of Not Giving a F*ck: A Counterintuitive Approach to Living a Good Life*, HarperOne, 2016, P. 58.『その「決断」がすべてを解決する』マーク・マンソン著、三笠書房、二〇一八年）

㉒ ニュースは私たちを「受け身」にする

・ねずみの実験については次を参照のこと。Steven Maier: *Stress, Coping, Resilience and the Prefrontal Cortex.*（https://www.youtube.com/watch?v=0EhbTSWZbMg）

・ジョディ・ジャクソンの見解の原文。»When we tune into the news, we are constantly confronted with unresolved problems and the narrative does not inspire much hope that they will ever be solved.«（Jackson, Jodie: *You Are What You Read, Why Changing Your Media Diet Can Change The World,*

Unbound Publishing. P. 65.)

・エピクテトスの『提要』に書かれている言葉「若干のことは私たちがコントロールできる範囲にあるが、それ以外は私たちのコントロール外にある」について。エピクテトスはソクラテスやブッダと同じように、自らの著作を残さなかった。エピクテトスの言葉は、弟子のアッリアノスが記録したものである。

 ニュースは「ジャーナリスト」によって書かれている

・私は、ニュースのうち完全にオリジナルのものは一〇パーセントにも満たないのではないかと推測している。ピュー研究所が実施した以前の調査では、その割合は二〇パーセントと推測されていた。ジャーナリストが一日に書かなければならない記事の数は一〇年前よりかなり増えているため、いまでは一〇パーセントくらいが妥当なのではないかと思う。書く記事の本数の増加とともに、ほかのニュースをコピーして記事を作成する頻度も増えているはずだ。»The study, which examined all the outlets that produced local news in Baltimore, Md., for one week, surveyed their output and then did a closer examination of six major narratives during the week, finds that much of the ›news‹ people receive contains no original reporting. Fully eight out of ten stories studied simply repeated or repackaged previously published information.« *How News Happens: A Study of the News Ecosystem of One American City*, 11. January 2010.（http://www.journalism.org/2010/01/11/how-news-happens)

・「キャリアキャスト」の二〇一五年度版職業ランキング。https://www.careercast.com/jobs-rated/jobs-rated-report-2015-ranking-top-200-jobs?page=9

・同ランキングの二〇一八年度版。https://www.careercast.com/jobs-rated/2018-jobs-rated-report?page=10

・「キャリアキャスト」のランキングの判定基準については次を参照のこと。https://www.careercast.com/jobs-rated/2018-methodology

・作家のなかには、ほかの作家をうならせたいがために執筆活動をしている者がいる。彼らの言葉づかいはきわめて格調高く、プロットは貧弱で、本の売り上げはほぼゼロだ。同じ現象は、一部のジャーナリストにも見受けられる。ほかのジャーナリストに向けて文章を書いているジャーナリストたちがいるのだ。彼らの書くものは、中身よりも文体のほうに、事実よりもメタファーのほうに重きが置かれている。ジャーナリズムはその大部分が自己言及システムになってしまった。

「賞の世界（ドイツには二五〇から五〇〇種類の賞があるといわれている）は、ジャーナリストが、互いが書いたすばらしい文章をほめ合うためだけに存在している。賞に応募するのもジャーナリスト自身で、多くの場合、それをすすめるのは編集部だ。この一連の〝サーカス〟の存在は、一般の読者にはほとんど知られていないだろう。それでも、記事の多くは審査員を務める同僚に向けて書かれているということを、ひょっとしたら読者は感じ取っているかもしれない。

容赦なく事実を映し出しているネットの動画で、三時間もつづく「ドイツにおける二〇一八年度ライター賞」（最優秀ルポルタージュ賞はクラース・レロティウスが受賞した）の授賞式の様子を改めて見てみると、その業界内における自画自賛のひどさは耐え難いほどだ」。Gaschke, Susanne: *Wir schreiben einfach wundervoll* : *Der Fall Relotius und die Medien*. In: *NZZ*, 23. January 2019. (https://www.nzz.ch/feuilleton/der-fall-relotius-und-die-medien-wir-schreiben-einfach-wundervoll-ld.1453300)

・「底辺への競争」に関して。»When Facebook emphasized ›news‹ in its feed, the entire world of journalism had to reformulate itself ... To avoid being left out, journalists had to create stories that emphasized clickbait and were detachable from context.« (Lanier, Jaron: *Ten Arguments For Deleting Your Social*

Media Accounts Right Now, Henry Holt, 2018, P. 33.『今すぐソーシャルメディアのアカウントを削除すべき10の理由』ジャロン・ラニアー著、亜紀書房、二〇一九年）

・メディア企業は考え方を改める必要がある。ジャーナリストは書くことに対してでなく、調査することに対して対価を得るべきだ――調査報道をすることを目標として。そして思考することに対して、つまり、出来事の背後にある複雑な発生要因をさぐり出し、説明する能力に対して対価を得るべきだ。

　メディア企業は、広告で収益をあげるという考え方を放棄しなくてはならない。メディアが広告を集めようとしている限り、ジャーナリストは本人が意図しているかどうかにかかわらず、常に質よりも通俗性を優先するようになる。「チャートビート［メディア企業向けの記事コンテンツ解析ツール］」の判断基準や、閲覧数やクリック数や「いいね」の数や引用の数などに縛りつけられることになるからだ。

　要は、コンテンツの生産が広告で賄われている限り、生産者の関心事と消費者の関心事は逆方向を向いたままなのだ。質を保証するには、購読モデルを構築するしかない。そしてできるだけ多くの人がニュースダイエットをする必要もある。そうすれば、メディア市場は自然と分別ある方向へ軌道修正されていき、長いフォーマットが栄えるようになるだろう。そうなれば、あらゆる人やものごとにとってプラスになる――ジャーナリストにとっても、消費者にとっても、民主主義にとっても。

・いくつかの国ではその方向に向かって――長く、内容豊かなニュースを生産する方向に向けて――さまざまな動きがはじまっている。「スロージャーナリズム」「建設的ジャーナリズム」「ソリューションジャーナリズム」と呼ばれる動きがそれだ。

「スロージャーナリズム」については、ジェニファー・ローチ（*Slow Media, Why Slow is Satisfying, Sustainable and Smart*, Oxford University Press, 2018）とピーター・ラウファー（Slow News, *A Manifesto for the Critical News Consumer*, Oregon State University Press, 2014）の著作で詳しく取り上げられている。

「建設的ジャーナリズム」に関しては、ジョディ・ジャクソンが頼もしい声明を発表している（*You Are What You Read, Why Changing Your Media Diet Can Change The World*, Unbound Publishing, 2019）。また、先に挙げた呼び名は使われていないものの、ニュースメディアに対して類似の批判を行っているアラン・ラスブリッジャーの著作もある（*Breaking News: The Remaking of Journalism and Why it Matters Now*, Canongate Books, 2018）。

・ニュース産業において伝えられた最初の死は、ニュースをもたらす伝令についてのものだった。

紀元前四九〇年、アテナイの人々は侵略しようとするペルシア軍を撃退した。伝えられるところによると、戦いに勝ったというこのよろこばしい知らせを届けるために、アテナイの伝令フィディピディスは、マラトンからアテナイまでを走り抜けた——そしてアテナイまでの四二キロを走り終えたところで力がつき、息絶えた。無益の死である。このことが、四二キロを走るマラソンという競技の名前の由来といわれている。

㉔ ニュースは私たちを「操作」する

・»Our medieval ancestors had a profound suspicion of information that came to them in written form. They were by no means certain that something written was more trustworthy than the spoken word. Rather the contrary: a news report gained credibility from the reputation of the person who delivered it. So a news report delivered verbally by a trusted friend or messenger was far more likely to be believed than an anonymous written report.« (Pettegree, Andrew: *The Invention of News: How the World Came to Know About Itself*, Yale University Press, P. 2.)

・»For every reporter in the United States, there are more than four public relations specialists working hard to get them to write what their bosses want them to say.«（Johnson, Clay A.: *The Information Diet, A Case for Conscious Consumption*, O'Reilly Media, 2015, P. 40.）

・ホームズレポート［国際的なＰＲ業界情報プロバイダー］は全世界のＰＲ産業の市場規模を一五〇億ドルと見積もっている（https://www.holmesreport.com/long-reads/article/global-pr-industry-now-worth-$15bn-as-growth-rebounds-to-7-in-2016）。しかしイギリス国内のＰＲ産業だけでほぼ同程度の市場規模があるという見積もりもあることから（https://www.prca.org.uk/insights/about-pr-industry/value-and-size-pr-industry）、世界全体の市場規模は一五〇億ドルをはるかに上回るのではないかと思われる。世界全体で生み出される売上額を二〇〇億ドルと見積もっている統計もある（https://www.statista.com/topics/3521/public-relations/）。

・「逆転」現象はすでに起きている。インターネットにおけるコンテンツやユーザーやクリックの五〇パーセント以上は〝フェイク〟だ。このことについては次を参照のこと。Max Read: »How Much of the Internet Is Fake? Turns Out, a Lot of It, Actually.« In: *New York Magazine*, 26. December 2018.（http://nymag.com/intelligencer/2018/12/how-much-of-the-internet-is-fake.html

・質のよいメディアもフェイクニュースと無縁ではないということは、クラース・レロティウスの一件を見れば明らかだ。ジャーナリストとして数多くの賞を受賞したレロティウスが書いた記事の多くは、でっち上げだった［レロティウスはドイツの有名週刊誌『デア・シュピーゲル』の記者だったが、多くの捏造記事を書いていたことが二〇一八年に発覚し、解雇された］。

・一九一九年にアプトン・シンクレアが記した文章の原文とその出典。»When you read your daily paper, are you reading facts or propaganda?«, in Leporte, Jill: »Does Journalism have a Future?« In: *The New Yorker*, 28. January 2019.（https://www.newyorker.com/magazine/2019/01/28/does-journalism-have-a-future）

・「PR記事」や「ネイティブ広告」については前掲の出典を参照のこと。

・ファクトチェック［情報の正確さを検証すること］について。『ザ・ニューヨーカー』誌は、情報をすべて厳密にチェックすることで知られている。

たとえばある記事でエンパイア・ステート・ビルディングについて触れるときには、ファクトチェック部門の誰かが出向いて、ビルがまだそこに建っていることを自分の目で確かめる――この例は創作だが、大事な何かを示唆している。たとえ一流のジャーナリストたちといえども、ミスをすることはあるということだ。しかし今日(こんにち)では、ファクトチェックの担当者はほとんどの報道機関で解雇されてしまっている。

・無料のニュースを使った思考の操作について、ユヴァル・ノア・ハラリは次のような思考実験を例にとって説明している。»If you get your news for free, you might well be the product. Suppose a shady billionaire offered you the following deal: ›I will pay you $30 a month, and in exchange, you will allow me to brainwash you for an hour every day, installing in your mind whichever political and commercial biases I want.‹ Would you take the deal? Few sane people would. So the shady billionaire offers a slightly different deal: ›You will allow me to brainwash you for one hour every day, and in exchange, I will not charge you anything for this service.‹ Now the deal suddenly sounds tempting to hundreds of millions of people. Don't follow their example.« Yuval Noah Harari: »Humans are a post-truth species.« In: *The Guardian*, 5. August 2018.（https://www.theguardian.com/culture/2018/aug/05/yuval-noah-harari-extract-fake-news-sapiens-homo-deus）

・意見の操作やプロパガンダは、いまのようなニュースの洪水がはじまるはるか昔から行われていた。»... from remarkably early in the age of the first printed books Europe's rulers invested considerable effort in putting their point of view, and explaining their policies, to their citizens.«（Pettegree, Andrew: *The*

Invention of News: How the World Came to Know About Itself, Yale University Press, Kindle-Version, P. 6-7.)

・昨今では報道へのロシアの介入が取りざたされているが、何も新しいことではない。この種のプロパガンダや影響力の行使はすでに一五世紀には普通に行われていた。»The French Crown too gave attention to the manipulation of opinion. An early and precocious example was the flurry of writings that followed the assassination of John, Duke of Burgundy, in 1419. These were intended to win over those wavering in their loyalty to the dauphin Charles, the leader of French resistance to the Anglo-Burgundian alliance who had certainly been involved in the duke's murder.« (Pettegree, Andrew: *The Invention of News: How the World Came to Know About Itself,* Yale University Press, Kindle-Version, P. 35.)

 ニュースは「創造力」を破壊する

・独自の考えを形成することの難しさについて。»I find for myself that my first thought is never my best thought. My first thought is always someone else's; it's always what I've already heard about the subject, always the conventional wisdom. It's only by concentrating, sticking to the question, being patient, letting all the parts of my mind come into play, that I arrive at an original idea. By giving my brain a chance to make associations, draw connections, take me by surprise. And often even that idea doesn't turn out to be very good. I need time to think about it, too, to make mistakes and recognize them, to make false starts and correct them, to outlast my impulses, to defeat my desire to declare the job done and move on to the next thing ... Here's the other problem with Facebook and Twitter and even The New York Times.

When you expose yourself to those things, especially in the constant way that people do now – older people as well as younger people – you are continuously bombarding yourself with a stream of other people's thoughts. You are marinating yourself in the conventional wisdom. In other people's reality: for others, not for yourself. You are creating a cacophony in which it is impossible to hear your own voice, whether it's yourself you're thinking about or anything else.« Deresiewicz, William: »Solitude and Leadership. If you want others to follow, learn to be alone with your thoughts.« In: *The American Scholar*, 1. March 2010. (https://theamericanscholar.org/solitude-and-leadership/#.XDcLLCl0TOQ)

・「ときにはまたニュースを見てみる。驚くようなことは何もない。いつもと同じだと確認するだけだ――共産主義を原因とする壊滅的な経済状況や恐怖政治。そろそろ明らかになってきた。新しいことは何もないのだ」(Frisch, Max: *Tagebuch 1966–1971*, Suhrkamp Verlag, 1972, Kindle-Version, P. 314.)

㉖ ニュースは「馬鹿げた話」を奨励する――スタージョンの法則

・アメリカ人の哲学者、ダニエル・デネットが、のちに「スタージョンの法則」がすべてのことに当てはまるかどうかの検証を行ったところ、出版物だけでなく、すべてのものの九〇パーセントはクズだったという――学術研究も、オペラも、スタートアップ企業も、ワイシャツのボタンも、電子レンジの設計も、パワーポイントのプレゼンテーションも、ドッグフードのブランドも。

ダニエル・デネットの言葉の原文は次のとおりである。»90% of everything is crap. That is true, whether you are talking about physics, chemistry, evolutionary psychology, sociology, medicine – you name it – rock music, country western. 90% of everything is crap.« (https://en.wikipedia.org/wiki/Sturgeon%27s_

law#cite_ref-5)

・トースターとセックスをした男の記事。https://i.redd.it/ycddi529rlv11.jpg

・»Every man should have a built-in automatic crap detector operating inside him.« Ernest Hemingway in Manning, Robert: »Hemingway in Cuba.« In: *The Atlantic*, August 1956.（https://www.theatlantic.com/magazine/archive/1965/08/hemingway-in-cuba/399059/）

・「怒りのジャーナリズム」について。»Right now, anyone who is offended about anything – whether it's the fact that a book about racism was assigned in a university class, or that Christmas trees were banned at the local mall, or the fact that taxes were raised half a percent on investment funds – feels as though they're being oppressed in some way and therefore deserve to be outraged and to have a certain amount of attention. The current media environment both encourages and perpetuates these reactions because, after all, it's good for business. The writer and media commentator Ryan Holiday refers to this as ›outrage porn‹: rather than report on real stories and real issues, the media find it much easier（and more profitable）to find something mildly offensive, broadcast it to a wide audience, generate outrage, and then broadcast that outrage back across the population in a way that outrages yet another part of the population. This triggers a kind of echo of bullshit pinging back and forth between two imaginary sides, meanwhile distracting everyone from real societal problems.«（Manson, Mark: *The Subtle Art of Not Giving a F*ck: A Counterintuitive Approach to Living a Good Life*, P. 111.『その「決断」がすべてを解決する』マーク・マンソン著、三笠書房、二〇一八年）

・»You can't make a society wealthy by making it crazy.«（Lanier, Jaron: *Ten Arguments For Deleting Your Social Media Accounts Right Now*, P. 99.『今すぐソーシャルメディアのアカウントを削除すべき10

の理由』ジャロン・ラニアー著、亜紀書房、二〇一九年)

・»Social-media algorithms prioritise attention-grabbing clickbait over boring truth, which helps propel nonsense around the world.« »Should the government determine what counts as quality journalism?« In: *The Economist*, 16. February 2019. (https://www.economist.com/britain/ 2019/02/16/should-the-government-determine-what-counts-as-quality-journalism?frsc=dg%7Ce)

 ニュースは私たちに「偽りの同情」を覚えさせる

・「ボランティアの浅はかな考え」については次を参照のこと。Dobelli, Rolf : *Die Kunst des klugen Handelns*, 2012, Hanser, P. 61-64.(『Think Smart　間違った思い込みを避けて、賢く生き抜くための思考法』ロルフ・ドベリ著、サンマーク出版、二〇二〇年)

・行動を起こさずに哀れみにだけ浸る行為は非人間的だ。惨事についての情報を入手すると、まるでその惨事に立ち向かっているような気にさせられる。しかし、哀れみのなかにどっぷりつかって、その感情を日々自分自身にすり込んだところで、なんの助けになるというのだろう? なんの助けにもならない。私は同情しているだけの人に興味はない。感情移入は——単なる感情移入だけで終わるのなら——無意味だ。

・もしあなたが、無数にあるほかの惑星の全文明世界で起きている出来事や事件や惨事についての全情報にアクセスできるとしたら、あなたはそれらのことをすべて知りたいと思うだろうか? あなたはどこで境界線を引くのだろう——文明世界一〇か所ぶんだろうか、一万か所だろうか、一〇〇〇万か所だろうか?

ニュースは「テロリズム」を助長する

・テロリズムに関する統計。https://ourworldindata.org/terrorism

・そのほかの死因との比較に用いた数字の出典。Global death toll of different causes of death – Oxfam: https://oxfamblogs.org/fp2p/what-if-we-allocated-aid-based-on-how-much-damage-something-does-and-whether-we-know-how-to-fix-it/

・「二〇一一年九月一一日以降、テロリストはEU圏内で毎年ほぼ五〇人を殺害し、アメリカでは毎年約一〇人が、中国では約七人が、全世界ではおよそ二万五〇〇〇人（イラク、アフガニスタン、パキスタン、ナイジェリア、シリアでの犠牲者が大半を占めている）が犠牲になっている。交通事故では毎年ほぼ、八万人のヨーロッパ人が、四万人のアメリカ人が、二七万人の中国人が命を落としている。糖尿病や糖分の過剰摂取を原因とする一年間の死亡者数は約三五〇万人、大気汚染では約七〇〇万人が亡くなっている」（Harari, Yuval Noah: *21 Lektionen für das 21.Jahrhundert*, C. H. Beck, P. 215.『21 Lessons　21世紀の人類のための21の思考』ユヴァル・ノア・ハラリ著、河出書房新社、二〇一九年。ただし、ここに記載されているこの書籍からの引用文は、すべてドイツ語から訳したもの）

・ドイツにおけるテロリズムの犠牲者数は次のとおりである（年、死亡者数）。

2001：3
2002：0
2003：0
2004：1
2005：2

2006：2
2007：1
2008：0
2009：0
2010：0
2011：2
2012：0
2013：0
2014：0
2015：1
2016：27

・ドイツにおける交通事故死亡者数。https://de.statista.com/statistik/daten/studie/161724/umfrage/verkehrstote-in-deutschland-monatszahlen/

・国別の自殺率。https://de.wikipedia.org/wiki/Suizidrate_nach_Ländern, https://ec.europa.eu/eurostat/web/products-eurostat-news/-/DDN-20170517-1

・»Martha Crenshaw, professor of Political Science at Stanford, argues that terrorist groups make calculated decisions to engage in terrorism, and moreover, that terrorism is a ›political behavior resulting from the deliberate choice of a basically rational actor‹. In addition to this, she suggests ›Terrorism is a logical choice... when the power ratio of government to challenger is high‹.« (https://ourworldindata.org/terrorism#terrorism-in-specific-countries-and-regions)

・「テロリストは思考をコントロールする達人である。彼らが殺害する人数はごくわずかであるにもかかわらず、何十億人をも不安や恐怖に陥れ、そして欧州連合やアメリカといった政治のキープレーヤーを震撼させている」（Harari, Yuval Noah: *21 Lektionen für das 21. Jahrhundert*, C. H. Beck, P. 215.『21 Lessons　21世紀の人類のための21の思考』ユヴァル・ノア・ハラリ著、河出書房新社、二〇一九年）

・「広報活動なくしては、テロ劇場の成功はあり得ない。残念ながら、メディアはその広報の役割を積極的に担いすぎている。過剰といってもいいほどテロ事件について報じることで、その脅威を法外なまでにふくらませている。テロに関する記事は、糖尿病や大気汚染に関する記事よりも売れ行きが格段にいいからだ」（Harari, Yuval Noah: *21 Lektionen für das 21. Jahrhundert*, C. H. Beck, P. 224.『21 Lessons　21世紀の人類のための21の思考』ユヴァル・ノア・ハラリ著、河出書房新社、二〇一九年）

・二〇〇一年九月一一日の同時多発テロでは三〇〇〇人が犠牲になった。このときも――ムンバイと同じように――ニュースの消費によって、少なくとも犠牲者数を一〇倍上回る人数の一生分の時間が〝浪費〟された。そしてさらに悪いことに、メディアのヒステリックな報道によって、アメリカの外交政策がかつてなかったほどの迷走ぶりを見せた（イラク戦争とアフガニスタン紛争）。

イラク戦争ではアメリカ側だけでも四五〇〇人の兵士が命を落とした。イラク側の犠牲者数は、三〇万人から一二〇万人と推測されている（https://en.wikipedia.org/wiki/Casualties_of_the_Iraq_War）。中国が二〇〇一年にＷＴＯ（世界貿易機関）に加盟し、その結果としてアメリカをしのぐ世界最大の経済大国の座につくことができたのも［購買力平価ベースのＧＤＰでは、中国はすでにアメリカを上回っている］、もとを正せば、二〇〇一年にはアメリカの注意がアジアではなく、ひげを生やした一九人のテロリストに向けられていたせいであることを考えると、このときの失策は特に皮肉である。

ニュースは「心の平穏」を破壊する

- »You become what you give your attention to … If you yourself don't choose what thoughts and images you expose yourself to, someone else will.«（エピクテトス）
- »Seneca warns us to avoid ›discursiveness‹, advising us instead to ›linger among a limited number of master thinkers, and digest their work‹ if we want to enhance our personal wisdom. We should avoid restlessly jumping between information sources because: ›everywhere means nowhere. When a person spends all his time in foreign travel, he ends by having many acquaintances, but no friends.‹« Reeves, Jack: *Seneca's Smartphone: Stoic Principles for Managing Digital Distraction.*（http://modernstoicism.com/senecas-smartphone-stoic-principles-for-managing-digital-distraction-by-jack-reeves/#comment-26015）. 文中で引用されているセネカの言葉の出典は次のとおり。Epistulae morales ad Lucilium, Ltr II（trans. Richard Mott Gummere）.（『ルキリウスへの手紙／モラル通信』セネカ著、近代文藝社、二〇〇五年）
- 「どうでもよいことに、なぜ気を逸らされなくてはならないのだろう？　自分のために時間をとって、ためになる何かを学ぼう。つむじ風のなかにいるようにあちこちに流されるのは終わりにするのだ」（Marc Aurel: *Selbstbetrachtungen*, 2. Buch, Paragraph 7.『自省録』マルクス・アウレリウス著、岩波書店、二〇〇七年ほか）
- マルクス・アウレリウスの言葉の英訳。»Do external things distract you? Then make time for yourself to learn something worthwhile; stop letting yourself be pulled in all directions.«（Marcus Aurelius, *Meditations*, second book, paragraph 7.）
- ニュースが原因で生じる無駄な騒ぎを皮肉ったすばらしい風刺。Nissan, Coin: »Bad News.« In: *The New Yorker*, 23. July 2018.（https://www.newyorker.com/magazine/2018/07/23/bad-news）

㉚ まだ確信が持てない人へ

・古い新聞を読むアイディアの出典。Taleb: »To be completely cured of newspapers, spend a year reading the previous week's newspapers.« Taleb, Nassim: *The Bed of Procrustes*, Random House, 2010, P. 28（『ブラック・スワンの箴言』ナシーム・ニコラス・タレブ著、ダイヤモンド社、二〇一一年）

・二五年前のドイツの「ターゲスシャウ」――本書のドイツにおける刊行日の二五年前、一九九四年九月三日のニュースのURL。https://www.tagesschau.de/multimedia/video/video-19029.html

・二〇一一年の『ザ・ニューヨーカー』誌に、こんな漫画が掲載されていた。ひとりの男がレストランにすわり、メニューを吟味している。そこに突然、UFOが着陸する。そしてそこから宇宙飛行士が決然とした足取りで降りてきて、大声でこう告げる。「私は未来のあなただ。ホタテについて警告するために戻って来た。ホタテにかかっているソースは、少しこってりしすぎている」。

　この漫画と同じように、未来からやって来た誰かがニュースを消費している現代人の横に宇宙船で降り立ったとしたら、こんなふうに言うのではないかと私は想像している。「私は未来からやって来た。ニュースについてあなたに警告するために戻って来たのだ。ニュースはあなたと関係がなさすぎる」。Cartoon in *New Yorker*, by Zachary Karin, 17. October 2011: »I'm you from the future. I came back to warn you not to order the scallops – the sauce is a little too creamy.«

㉛ 民主主義への影響　その①

・スイスの公的機関が配布する住民投票のパンフレットについて。もちろんこれらも意見の操作と無縁ではない。

パンフレットの作成に際しては、政府で最多の議席数を占める党が、最も大きな影響力を行使している。それでも、短くカットされているとはいえ、法案に対する主な反対意見は明記されている。しかしもちろん、最も重点的に検討するのは一字一句すべて掲載されている改正法案の議案である。私はいつもこう思いながら読んでいる。この法案の内容が私に理解できなかったとしたら、ジャーナリストにだって理解できないに違いない、と。

・なかには法改正が及ぼす作用や、その作用がもたらすさらなる作用が見きわめられずに、自分の意見を形成できない法案もある（たとえば二〇一八年に国民投票にかけられたソブリンマネー・イニシアチブ〔通貨の創造機能をスイス中央銀行だけに限定しようとした案。憲法を改正し、民間銀行が行っている通貨の信用創造を不可能にすれば、銀行は無からお金をつくり出すことができなくなり、スイスフランは世界で最も確実な通貨となって、金融危機からも国を守れると賛成派は主張していた〕がそうだった）。そういう場合、私は投票を棄権するか、あるいは現状にある程度問題がなければ現状維持のほうに投票することにしている。

・近代世界初の民主主義国家を設立した建国の父のなかでも、おそらく最も重要な人物であるベンジャミン・フランクリンは、討論クラブを主催していた。»In 1727, when Benjamin Franklin was twenty-one, he and a few friends – among them a scrivener, a joiner, and two cobblers – formed a conversation club called the Junto. They met on Friday evenings at a Philadelphia alehouse. ›The rules that I drew up required that every member, in his turn, should produce one or more queries on any point of Morals, Politics, or Natural Philosophy, to be discuss'd by the company‹, Franklin wrote in his autobiography. The United States was not yet the United States, but already he sensed a civility problem. His solution: structured, secular chitchat, ›conducted in the sincere spirit of inquiry after truth, without fondness for dispute, or desire of victory.‹« (Marantz, Andrew: »Benjamin Franklin Invented the Chat Room.« In: *The New*

Yorker Magazine, 9. April 2018, P. 18.)

・議会制の導入は中世にはじまった。アイスランドには現存する世界最古の議会がある。雪崩のような「ニュース速報」などなくとも、議会は一〇〇〇年ものあいだ機能しつづけている。

 民主主義への影響　その②

・調査報道の必要性に関して。»America has lost a fifth of its newspapers since 2004. Media-watchers worry about ›news deserts‹, or areas without any newspapers. The mere presence of reporters at city-council meetings can help keep them straight, says Al Cross, the director of the Institute for Rural Journalism at the University of Kentucky.«（»Still kicking.« In: *The Economist*. https://www.economist.com/news/united-states/21744876-reports-their-death-have-been-greatly-exaggerated-small-town-american-newspapers-are?frsc=dg%7Ce）

・「ウォーターゲート事件」の記事は長く、九〇〇〇字から一万六〇〇〇字あった。https://www.washingtonpost.com/wp-srv/national/longterm/watergate/articles/101072-1.htm

・学術の世界ではきちんとした手順が踏まれている。研究者は新しい事実を発見しても、それをニュースという形で喧伝することはない。「論文」を書いて定評ある学術ジャーナルに投稿し、学術ジャーナルの編集者は別の研究者に査読を依頼する。論文を執筆した研究者はその後、査読で指摘された改善点を取り入れたり、表現の仕方を変えたり、必要があればもっと深く掘り下げた実験を行ったりする。「論文」が学術ジャーナルに掲載されるのは、すべての疑問点をクリアしてからのことで、掲載までには三か月から五か月ほど時間がかかるときもある。だがそれで彼らの発見が損なわれることはない。同様の手順が調査報道で機能しない理由はない。

・ニュースジャーナリストにのしかかっているプレッシャーについて。アメリカの大手インターネットサービス会社、ＡＯＬの例。»All editorial content staff are expected to write 5 to 10 stories per day, each with an average cost of $84, and a gross margin (from advertising) of 50%.« (Johnson, Clay A.: *The Information Diet, A Case for Conscious Consumption*, P. 35.)

・もしかしたら調査報道は消滅する運命にあるのかもしれない。»News organizations – especially those supporting expensive investigative journalism – have been told for twenty years that it's up to them to be nimble enough to come up with new business plans that will stand up to the ›disruptions‹ of the big tech companies, but no one has ever come up with actual good advice.« (Lanier, Jaron: *Ten Arguments For Deleting Your Social Media Accounts Right Now*, P. 68.『今すぐソーシャルメディアのアカウントを削除すべき10の理由』ジャロン・ラニアー著、亜紀書房、二〇一九年)

・»Dame Frances argues that public-interest journalism is undersupplied by the market, and that the government should support it via tax breaks or direct funding. Two types of journalism in particular deserve support. One is that which investigates corruption and the abuse of power. Despite its cachet, such work is expensive, difficult and – from a commercial point of view – generally not worth it. The other is the sort of thing local newspapers used to provide: writing up planning meetings, trials in local courts and the like. It is hard to imagine any news less likely to go viral.« *The Economist*, 16. February 2019. (https://www.economist.com/britain/2019/02/16/should-the-government-determine-what-counts-as-quality-journalism?frsc=dg%7Ce)

㉝「ニュースランチ」のすすめ

・ふたつ目の講演はおおむね前向きな内容でなくてはならない。ネガティブな所見をただ述べるのではなく、ネガティブな状況の解決策や改善策が提示されるのが理想的だ。そうすれば「ネガティビティ・バイアス」との釣り合いがとれる（ネガティブなニュースのほうが売れ行きがいいため、ニュースで報じられるのはネガティブな内容のものがはるかに多い）。

ポジティブな出来事や解決策や改善策などを報道するジャーナリズムは、「建設的ジャーナリズム」もしくは「ソリューションジャーナリズム」と呼ばれている。ジョディ・ジャクソンは著書で「ソリューションジャーナリズム」に関する印象深い声明を記している。Jackson, Jodie: *You Are What You Read, Why Changing Your Media Diet Can Change The World*, Unbound Publishing, 2019.

㉞ニュースの未来

・［傾向その三］のアルゴリズムについて。»To a degree, you're an animal in a behaviorist's experimental cage.«（Lanier, Jaron: *Ten Arguments For Deleting Your Social Media Accounts Right Now*, P. 11.『今すぐソーシャルメディアのアカウントを削除すべき10の理由』ジャロン・ラニアー著、亜紀書房、二〇一九年）

・［傾向その四］のフェイクニュースについて。人工知能プログラムによって書かれるフェイクニュースの質に関する予測。»The researchers set out to develop a general-purpose language algorithm, trained on a vast amount of text from the web, that would be capable of translating text, answering questions, and performing other useful tasks. But they soon grew concerned about the potential for abuse. ›We started testing it, and quickly discovered it's possible to generate malicious-esque content quite easily‹, says Jack Clark, policy director at OpenAI. Clark says the program hints at how AI might be used to automate the generation of convincing fake news, social-media posts, or other text content. Such a tool could spew out climate-denying news reports or scandalous exposés during an election. Fake news is already a problem, but if it were automated, it might be harder to tune out. Perhaps it could be optimized for particular demographics – or even individuals. Clark says it may not be long before AI can reliably produce fake stories, bogus tweets, or duplicitous comments that are even more convincing. ›It's very clear that if this technology matures – and I'd give it one or two years – it could be used for disinformation or propaganda‹, he says.« (Knight, Will: »An AI that writes convincing prose risks massproducing fake news.« In: *MIT Technology News*, 14. February 2019. (https://www.technologyreview.com/2019/02/14/137426/an-ai-tool-auto-generates-fake-news-bogus-tweets-and-plenty-of-gibberish/)

 ニュースを断つ感覚

・最初に訊かれることのなかに「ニュースなしで、どうやって情報を得ているんですか?」という質問は必ず含まれることになるだろう。この質問には、こんなふうに答えるといい。

「〝情報を得ている〟というのはぞっとするような言葉ですね。私は情報を得たいとは思っていません。その反対です。私は理解したいのです。〝情報を得ている〟人というのは、事実をただ積み上げているにすぎません。〝理解している〟人というのは、すべての重要な事実に関して、その原因やそれが及ぼす影響やフィードバック作用や推進力をはっきりと見きわめているものです。情報を得ているだけでは、石を積み上げているの

と変わりません。得ている情報の量が多ければ多いほど、石の山も大きくなります。ですが、石の山は価値のない石の山のままです。それに対して理解している人は、その石の山から橋や家をつくり上げ、そして——この点が重要なのですが——、ほとんどの石はそのまま放置しておきます。なぜなら、たいていの石は役に立たないからです」

おわりに、そして謝辞

・タレブについて。子どものころから、私はニュースサーカスにはどこか〝いかがわしい〟ところがあると思っていた。それなのに、その理由をさぐるための思考の道具を有していなかった私は、職場でコンピュータを使ったり、ポケットにスマートフォンを入れたりしているほぼすべての人たちと同じように、「ニュース中毒」に陥った。しかしその後少しずつではあるがニュース依存から脱却しなくてはならないと気づき、段階的に実行に移した。そしてついには、二〇一〇年のある日、自分にこう言い聞かせた。「徹底的なニュースダイエットを試してみよう。それで命まで奪われるわけではないし。それに、もとの生活に戻るのはいつでもできる」

この一歩を踏み出すきっかけになったのは、ニュースによって引き起こされた心の落ち着かなさや不快感、それから、長い文章を疲れずに読む能力を失ってしまったことだった。そのうえ、ニュースで報じられていることが自分の人生にどれほど無関係かにもふいに気づいた。ニュースを消費した結果生じる決断ミスをはじめ、ニュースの消費がもたらす問題を認知的見地から考察した主な論拠を私がようやく知るにいたったのは、ナシーム・タレブとのやり取りを通してだった。ここでご紹介した論拠の多くはタレブとのやり取りに由来している——どれが彼から学んだ知識だったかは、もはやわからなくなってしまったが。

訳者あとがき

ニュースがこれほど問題のあるものだとは思ってもみなかった。

ただしここでいう「ニュース」とは、起きた出来事の周辺事情を描き出したり、その問題点を追及したりするような類の報道のことではない。主にネットで見られるような、新しい情報をできるだけ早く発信する点のみに重きが置かれた短い記事のことだ。ニュースには中毒性があり、薬物中毒やアルコール中毒など、中毒と名がつくその他のものと同じように、私たちの心身に害を及ぼすという。

著者はすでに別の著書でもニュースの害について触れているが(『Think Smart』第四五章「ニュースを読むのをやめたほうがいいわけ」)、本書ではニュースがメインテーマだ。すでに一〇年以上も「ニュースダイエット」をつづけているという著者は、前回よりもはるかに深くその問題点に切り込みながら、ニュースからは距離を置くべきだと主張する。著者はニュースとの決別を決めて以来、テレビやラジオのニュースも、ネットニュースも新聞も、ありとあらゆるニュースを生活から排除しているのだそうだ。

著者の邦訳が刊行されるのは、『Think clearly 最新の学術研究から導いた、よりよい人生を送るための思考法』『Think Smart 間違った思い込みを避けて、賢く生き抜くための思考法』『Think right 誤った先入観を捨て、よりよい選択をするための思考法』(旧題『なぜ、間違えたのか?』)につづいてこれが四冊目に当たるため、本書を手にとってくださった方のなかには、すでに著者のことをご存じの方もおられるかもしれない。けれどもロルフ・ドベリ氏の本ははじめて、という方のために、ここで簡単に著者についてご紹介しておきたい。

ロルフ・ドベリ氏はスイス生まれ。三〇代前半の若さでスイス航空の子会社数社で最高財務責任者やCEOを務めた経歴の持ち主で、現在は作家、実業家として活躍している。ドベリ氏がドイツのメディアに登場するときは、必ず「ベストセラー作家」という肩書で紹介される。それもそのはずで、日本でも刊行された三冊は、ドイツだけでなく世界的にも大きな成功をおさめ、四〇以上の言語に翻訳されている。本書もまた、二〇一九年九月にドイツで刊行されるとたちまちベストセラーリスト入りを果たした。

ニュースが及ぼす害と聞いても、はじめはピンとこないかもしれない。一般的には、ニュースは知っておくべき世界の出来事を伝えてくれる重要なものと認識されている。しかし著者によれば、ニュースを消費することは時間の無駄でしかないという。短いニュースをいくら読んだところで、出来事の本質的な理解にはつながらないからだ。世界で起きている出来事のほとんどは相互に複雑に絡み合っているため、それらのつながりを把握しなくては全体像をつかむことはできない。だがニュースではただ事実が並べられているだけで、ものごとのつながりが指摘されることはない。ニュースが世界の理解に役立つというのは錯覚にすぎないのだ。

本書で指摘されているニュースのネガティブな作用について読み進めていくと、無自覚のうちに自分がニュースの悪影響を受けていたことに気づかされる人は少なくないのではないだろうか。ニュースで報じられる惨事の強烈な画像にストレスを感じたり、その内容が繰り返し頭に浮かんで思考に集中できなかったり、動画のセンセーショナルなスタート画面やニュースのリンクをクリックする誘惑に負けて、本来すべきことがまったく進んでいなかったり。ニュースで伝えられる情報は、私たちが考えているよりもずっと重要度が低いのだとしたら、それほどマイナス要素の多いものをなぜ消費しなければならないのかと、確かに首をかしげたくなる。

私が一番ひやりとさせられたのは、ニュースを大量に消費すると長い文章や本が読めなくなるという指摘だ。忙しいときなど何日もニュースを読むのを忘れているときがあるので、私はそれほど重度のニュース中毒者ではないと思うのだが、それでも、短いネットニユースを何本か読んだあとに何か長いものを読もうとすると、読みづらさを感じることは何度かあった。まさかその原因がニュースにあるとは思ってもみなかったのだが、ニュースを消費するという行為は、短い情報にすばやく目を通せるようになるように脳をトレーニングしているのと同じことなのだそうだ。ニュースを消費すればするほど短いものをざっと読むための脳の神経回路が発達し、本を読んだり深い思考をしたりするための回路は退化してしまうのだという。幸い、私はまだ本が読めなくなる域には達していない。だがこのままニュースの消費をつづけていくと、そのうち好きな本が落ち着いて楽しめなくなってしまうのかと、思わずぞっとした。

ニュースはいまやいたるところにある。駅にも空港にもニュース画面があり、スマートフォンが普及して以降は私たちのごくプライベートなエリアにまで入り込んでいる。ニュースが私たちに与える影響の是非を考えずとも、現状は少々行き過ぎに思える。

ニュースなしの生活には、さまざまな利点があるらしい。その具体的な内容については作中で詳しく触れられているため、そちらを参照していただければと思うが、ニュースが氾濫する現在の状況を異様に感じている人や、毎日多くのニュースを見聞きしているはずなのに知識が増えないことを疑問に感じている人は特に、本書の著者の主張に目を通してみてほしい。ニュースに対してあなたが引っかかりを感じているわけが、おそらく見えてくるはずだ。「ニュースは不要」という著者の論理がいささか極端に思える人も、本書を読み終えるころには、ニュースに対する見方が変わっているのではないだろうか。著者同様に完全にニュースを排除するかどうかはあなた次第だが、ここで挙げられているネガティブな作用にもし心当たりがあるのなら、これを機会にニュースとのつき合い方を見直してみてもいいかもしれない。

今回も、翻訳にあたっては編集担当の桑島暁子さん、株式会社リベルの皆さんに大変お世話になった。この場を借りて厚くお礼を申し上げたい。

安原実津

二〇二〇年一二月

［著者］

ロルフ・ドベリ　Rolf Dobelli

作家、実業家。

1966年、スイス生まれ。ザンクトガレン大学卒業。スイス航空の子会社数社で最高財務責任者、最高経営責任者を歴任した後、ビジネス書籍の要約を提供するオンライン・ライブラリー「getAbstract」を設立。香港、オーストラリア、イギリスおよび、長期にわたりアメリカに滞在。科学、芸術、経済における指導的立場にある人々のためのコミュニティー「WORLD.MINDS」を創設、理事を務める。35歳から執筆活動を始め、ドイツやスイスの主要紙にコラムを寄稿。その他、世界の有力新聞、雑誌に寄稿。著書は40以上の言語に翻訳出版され、累計発行部数は300万部を超える。著書に『Think clearly　最新の学術研究から導いた、よりよい人生を送るための思考法』『Think Smart　間違った思い込みを避けて、賢く生き抜くための思考法』『Think right　誤った先入観を捨て、よりよい選択をするための思考法』（すべてサンマーク出版）がある。スイス、ベルン在住。

https://www.dobelli.com

［訳者］

安原実津　Mitsu Yasuhara

ドイツ語、英語翻訳家。

主な訳書に、ロルフ・ドベリ著『Think clearly　最新の学術研究から導いた、よりよい人生を送るための思考法』『Think Smart　間違った思い込みを避けて、賢く生き抜くための思考法』（ともにサンマーク出版）、ジャック・ナシャー著『望み通りの返事を引き出す　ドイツ式交渉術』（早川書房）などがある。

装　　丁　轡田昭彦＋坪井朋子
翻訳協力　株式会社リベル
校　　閲　株式会社鷗来堂
編　　集　桑島暁子（サンマーク出版）

News Diet

2021年2月20日　初版発行
2021年3月30日　第3刷発行

著　　者　ロルフ・ドベリ
訳　　者　安原実津
発 行 人　植木宣隆
発 行 所　株式会社サンマーク出版
〒169-0075 東京都新宿区高田馬場2-16-11
☎03-5272-3166（代表）
印　　刷　株式会社暁印刷
製　　本　株式会社若林製本工場

ISBN 978-4-7631-3860-6　C0030
サンマーク出版ホームページ　https://www.sunmark.co.jp